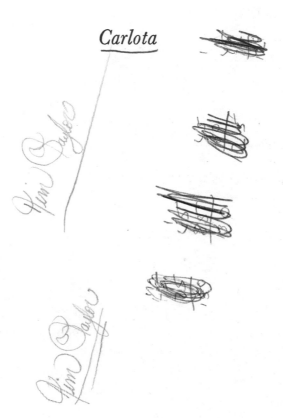

Carlota

Carlota

BY MIGUEL MIHURA

edited by EDITH B. SUBLETTE

A Division of Bobbs-Merrill Educational Publishing
Indianapolis

The Bobbs-Merrill Company, Inc.
4300 W. 62nd Street
Indianapolis, Indiana 46268

First Edition
Seventh Printing—1977
Library of Congress Catalog Card Number: 63-14020
ISBN 0-672-63015-X (pbk)

Preface

Carlota is a lively, humorous detective play by Miguel Mihura, a contemporary Spanish dramatist. The technique is excellent, and the suspense is maintained throughout. The atmosphere of mystery is skillfully blended with comic scenes.

Except for obvious cognates, I have footnoted all vocabulary over the first 2,000 words and groups one, two, three, and four of the basic idioms and phrases of Hayward Keniston's *Standard List of Spanish Words and Idioms*. In order to facilitate earlier reading, I have listed in alphabetical order before each section words and idioms from groups three and four of this list. I have arbitrarily divided the play into sections in order to make units of practical length. Since there are only two acts and three scenes, this division was necessary. Vocabulary and idiom exercises, and questions on content cover each of these sections.

The text is from the edition of *Teatro Español*, 1956-1957, published by Aguilar of Madrid. I corrected only typographical errors and, in accordance with modern usage, omitted accents on such words as *fue* and *dio*.

The language is direct. The intriguing plot will motivate students to continue reading. The book may be used by the end of the third semester of college.

I wish to express my gratitude to the author, Miguel Mihura, who has so graciously provided me with autobiographical material, personal data, and information about his writings.

E. B. S.

Introduction

I. Brief History of the Spanish Theater

Since the Golden Age, Spain has maintained a prominent place in world drama. After such great dramatists as Lope de Vega, Calderón de la Barca, Tirso de Molina, and Juan Ruiz de Alarcón, came the romantic period. Themes from the romantic dramas are well known because of their use in operas, for example Verdi's *Il Trovatore*, which was based on Antonio García Gutiérrez's *El Trovador*. Verdi also employed a theme from *Don Alvaro o La Fuerza del sino*, by the Duque de Rivas, in *La Forza del destino*. The Don Juan theme was revived in *Don Juan Tenorio* by José Zorrilla, as well as by countless others, including Molière, Mozart, Byron, and Shaw.

Spain's drama reached another peak with Nobel Prize winners José Echegaray and Jacinto Benavente. After 1925, Federico García Lorca and Alejandro Casona again brought Spanish drama to world attention.

During the Spanish Civil War, there were no productions of note, but within the past fifteen years a new group of dramatists has appeared. Since the war, the state has founded theaters like *El Español*, which produces classical plays, and *El María Guerrero* for modern plays. Since 1949, dramatists have been encouraged to compete for the Lope de Vega, Calderón de la Barca, and Ciudad de Barcelona prizes, as well as others.

Miguel Mihura, Antonio Buero Vallejo, Víctor Ruiz Iriarte, José López Rubio, Edgar Neville, and Joaquín Calvo Sotelo are among the dramatists who have rejuvenated the modern Spanish theater. Some treat realistically social themes of modern life. Others deal with escapist, idealistic, poetic, experimental, or humorous subjects. Their skill in creativity, dialogue, and theatrical techniques have been acclaimed.

II. *Miguel Mihura Santos — The Dramatist*

Since 1932, Miguel Mihura Santos has written fifteen plays and one book entitled *Mis Memorias*. He has won the Premio Nacional de Teatro in 1952-1953, 1955-1956, and 1959-60. His plays have been performed in English, French, Dutch, Flemish, German, Portuguese, and Czechoslovak, as well as in Spanish. Movies of nine of his plays have been made in Spain, Mexico, Argentina, and Germany. Some have appeared on television in Paris and London.

He writes of his life and works as follows:

Soy hijo de andaluces—de Cádiz y del Puerto de Santa María— pero como a mí no me gustaba el folklore, decidí nacer en Madrid.

Mi padre era actor y autor teatral y yo, de niño, en lugar de jugar con soldados de plomo, jugaba con pelucas de teatro y con barras de maquillaje y me divertía pintándome la nariz de colorado en los camarines de las actrices.

No me dio la gana de estudiar una carrera en mi casa, por no quedar mal con las visitas, me enseñaron música, idiomas y dibujo, cosas que olvidaba en cuanto se marchaban las visitas. A los 18 años tuve que ganarme la vida y entonces me puse de muy mal humor y me hice humorista. Publiqué en los periódicos dibujos, artículos y cuentos y trabajé mucho y jugué a la bohemia. Pero como en el fondo soy burgués, la bohemia me sentó mal para la salud y tuve que pasarme tres años en la cama. Para distraerme escribí mi primera comedia: *Tres sombreros de copa*, que resultó ser de un humor demasiado nuevo y por esta causa no se pudo estrenar hasta treinta años después de ser escrita. Cuando se estrenó, pasado este tiempo, la obra seguía siendo demasiado nueva; pero como la mitad del público no la entendió, alcanzó un gran éxito y gané con ella mi primer Premio Nacional de Teatro, que en el año 1956 tuve el honor de que me volvieran a conceder por mi comedia *Mi adorado Juan*.

Durante estos últimos treinta años escribí otras comedias, publiqué miles de artículos y dibujos y un día me cansé del periodismo y me dediqué al «cine». Hice argumentos y guiones en Madrid, Roma, París, Berlín y Buenos Aires, y de pronto me aburrí del cine y me dediqué por entero al teatro.

Carlota la escribí en El Escorial en dos etapas de seis días cada una. Y me acuerdo que el último acto de *A media luz los tres*, uno de mis actos preferidos, lo escribí en San Juan de Luz en cuatro horas.

Todas mis comedias las dirijo yo y durante los ensayos invento escenas nuevas, suprimo otras ya escritas, ideo nuevas frases y, según los actores que las representan, les aumento el papel o se lo reformo para que quede a la medida del intérprete. Soy meticuloso y exigente conmigo mismo, y a veces, dos días antes del estreno y en una noche, escribo de nuevo un acto entero que no me acaba de gustar.

No tengo ambiciones, soy soltero, perezoso y sentimental, y todo esto me da libertad para hacer siempre lo que se me antoja y trabajar cuando se me apetece, que es muy rara vez.

Como la gente no me puede llamar arrivista ni marido burlado, ni afeminado, ni ladrón, dicen de mí que tengo mal carácter. No es verdad, pero yo lo fomento para que me dejen dormir la siesta en paz y no me inviten a nungún cocktail.

Ficha Personal y Artística

Miguel Mihura Santos. Nacido en Madrid el 21 de Julio de 1905. Hijo del actor, autor y empresario teatral Miguel Mihura Alvarez.

Estudios: Bachillerato. Idiomas. Música. Dibujo.

Dibujante, historietista y escritor, publica—desde 1924—sus dibujos, historietas cómicas, artículos y cuentos en todos los diarios y revistas de España.

Jefe de Publicidad de la Productora «Ulargui-Films».

Periodista. Director de la revista satírica *La Ametralladora*, de 1936 a 1939.

Propietario de la revista de humor *La Codorniz*, cuyo primer número aparece en 1942, y aun se sigue publicando con gran éxito. Es la única revista de humor nuevo y vanguardia que existe en España. (Hace algún tiempo M. M. vendió la propiedad y ya no tiene que ver con esta publicación.)

Guionista cinematográfico y dialoguista, escribe más de veinte guiones originales y muchos más diálogos, que son realizados por los mejores directores españoles y argentinos. Colabora con Luis Berlanga en el film «¡Bienvenido, Mister Marshall!».

Y trabaja en los estudios cinematográficos de Berlín, Roma, París y Buenos Aires.

Director de Escena, realiza el montaje de todas sus obras en España, y últimamente, en Bruselas, se encarga de la *mise en scène* de la versión francesa de su obra *Maribel y la extraña familia.* Y en Bruselas, como en Madrid, esta comedia bate el récord de permanencia en el cartel y de recaudaciones.

Publica un solo libro, *Mis Memorias.*

Teatro

Tres Sombreros de Copa. (1932) Premio Nacional de Teatro 1952-53 (Traducida al inglés, francés y flamenco; representada en Wáshington, París, Bruselas y Amberes.)

Ni Pobre Ni Rico Sino Todo Lo Contrario, en colaboración con Tono. (1939) (Se lleva al cine dos veces. Una en Madrid y otra en Méjico.)

¡Viva Lo Imposible! en colaboración con Joaquín Calvo Sotelo. (1939) (Se lleva al cine dirigida por Rafael Gil.)

El Caso de la Mujer Asesinadita, en colaboración con Alvaro de Laiglesia. (1946) (Traducida al inglés y francés solo ha sido dada en París por TV. En Méjico batió el récord de permanencia en el cartel durante dos años seguidos. En ese país se hizo una película basada en la obra que no ha sido autorizada en España.)

El Caso de la Señora Estupenda. (1953) (Traducida al inglés, no ha sido representada en este idioma.)

Una Mujer Cualquiera. (1953) (Traducida al inglés, ha sido dada en Londres por TV. Aparte de la película que con este tema hizo María Félix en España, se rueda otra segunda versión en Buenos Aires con el título de *Pecadores.* Unica obra dramática.)

A Media Luz los Tres. (1953) (Traducida al alemán, portugués y francés, ha sido representada en varias ciudades de Alemania y Portugal y se prepara su estreno en Bruselas. Ahora, traducida al inglés va a ser dada en Londres por TV. En Méjico se lleva al cine por Arturo de Córdova.)

El Caso del Señor Vestido de Violeta. (1954) (Es la historia de un torero intelectual que sufre un «complejo de viejecita».)

¡Sublime Decisión! (1955) (Traducida al Checoslovaco, ha sido

dada en varios teatros de Praga. Se hace una película con este asunto que se titula *Sólo para Hombres*.)

La Canasta. (1955) (Sin editar, espero reformarla.)

Mi Adorado Juan. (1956) Premio Nacional 1955-56 (Traducida al holandés, ha sido representada en gran número de ciudades de los Países Bajos.)

Carlota. (1957) (Traducida al francés, holandés y flamenco, ha sido representada en París, Bruselas y los Países Bajos. Se lleva al cine.)

Melocotón en Almíbar. (1958) (Traducida al alemán, se representa en Viena, en Berlín, y en otras ciudades alemanas. Se lleva al cine en España y más tarde en Alemania. Ahora traducida al inglés, se gestiona su estreno en los Estados Unidos.)

Maribel y la Extraña Familia. (1959) Premio Nacional de Teatro 1959-1960. (Traducida al francés, alemán, portugués y flamenco, se estrena en Bruselas, Lisboa y Amberes. Se lleva al cine en España.)

El Chalet de Madame Renard. (1961) (Sin editar.)

III. Literary Judgments of Carlota

Carlota by Miguel Mihura received high acclaim after its production at the Infanta Isabel Theater in Madrid, April 12, 1957. Mihura has created on stage a small but capricious world. The setting in London is perfectly depicted. All the action takes place on the stage, the retrospective being superimposed on the present with masterful skill.

The construction of the play is faultless. The detective and theatrical effects blend marvelously. A double but parallel plane of actions contains drama, satire, realism, and delightful caricature. It is a poetic and complicated drama developed within the rigorous laws of realism, and it rates higher than the stories of Agatha Christie. Mihura has so skillfully developed the many intrigues that the ending, although logical, is most unexpected. The atmosphere of mystery which pervades the scene is accented by comic phrases. In seeking the criminal, Mihura has full power over stage techniques. False clues and multiple suspicions are mingled with humor. No one can expect, until the last moment, the identity of the assassin. The final scene is stupendous.

The dialogue is impeccable and ingenious. The characters are human and realistic, and they show psychological depth. The rare mixture of dramatic elements and humor has contributed to its great charm. It moves and convinces, provokes emotion and laughter. Its ingeniousness and interest are captivating. It places Miguel Mihura among the great authors of the contemporary theater.

These statements are from the following critics: María Luz Morales of *Diario*, Barcelona; G. Torrente Ballester of *Arriba*, Madrid; Sergio Nerva of *España*, Tánger; Antón Pirulero of *Radiocinema*, Madrid.

Bibliography

Northrup, George Tyler, *An Introduction to Spanish Literature*, fifth impression, University of Chicago Press, Chicago, 1946, (Reference materials on Lope de Vega, p. 267, Calderón de la Barca, p. 306, Tirso de Molina, pp. 281-285, Juan Ruiz de Alarcón, p. 286, Antonio García Gutiérrez, pp. 357-358, El Duque de Rivas, pp. 353-354, José Zorrilla and Don Juan, pp. 283-285, 358-359, José Echegaray, pp. 389-390, and Jacinto Benavente, p. 427.)

Torrente Ballester, Gonzalo, *Panorama de la Literatura Española Contemporánea*, ediciones Guadarrama, S. L., Madrid, 1956, pp. 465-472.

Sainz de Robles, Federico Carlos, «Breve Reseña de una Temporada Teatral» in *Teatro Español* (1949-1950), pp. 11-23, and in *Teatro Español* (1956-1957), pp. 11-34.

Teatro Español, 1956-1957, Aguilar, Madrid, 1958. Previously printed criticisms of *Carlota*, pp. 327-332.

Diccionario de Literatura Española, 2nd edition, Revista de Occidente, Madrid, 1953, Teatro Actual, pp. 688-690. (Reference materials on Federico García Lorca, p. 294, Alejandro Casona, p. 131, Antonio Buero Vallejo, p. 101, Víctor Ruiz Iriarte, p. 642, José López Rubio, p. 422, Edgar Neville, p. 503, and Antonio de Lara (Tono), p. 689.)

Contents

Carlota

Reparto

CARLOTA, viuda de míster Smith y de profesión farmacéutica

CHARLIE BARRINGTON, empleado de un banco y viudo de Carlota

JOHN MANNING, criado de Carlota, casado con Velda Manning

VELDA MANNING, viuda de John Manning y ama de llaves[1] de Carlota

DOCTOR WATS, médico de los Barrington y viudo de misis Williams

MISS MARGARET WATS, huérfana[2] del doctor Wats, aquejada de fuertes jaquecas[3]

DOUGLAS HILTON, detective de Scotland Yard

SARGENTO HARRIS, viudo y aficionado a la música de piano

FRED SULLIVAN, mancebo de botica,[4] enamorado de miss Margaret

MISIS CRISTI, amiga de Carlota y lectora del *London-News*

MISS LILIÁN, sobrina de misis Cristi y lectora del *London-Herald*

BILL, inteligente, pero afectado de un ligero sueño

1. housekeeper
2. orphan
3. complaining of strong headaches
4. drugstore clerk

ademán *m.* gesture	**niebla** fog, mist
¡claro! of course	**padecer** to suffer
colegio boarding school	**querido, -a** dear
desarrollado, -a developed	**Reino Unido, El** United Kingdom
de servicio on duty	dom
disparate *m.* nonsense	**siempre que** whenever
espeso, -a thick	**silbar** to whistle
hogar *m.* hearth, home	**soltero** bachelor
idioma *m.* language	**sueldo** salary
individuo individual	**taza** cup
ladrón *m.* thief	**telón** *m.* curtain
lector(a) reader	**tranvía** *m.* streetcar
lentamente slowly	

El primer cuadro representa la fachada¹ de la solitaria casa donde habitan los Barrington, en un barrio alejado² de Londres. El resto de la obra transcurre³ en el interior de la casa de los Barrington, durante una noche de niebla de un posible año 1900. Derecha e izquierda, las del espectador.

ACTO PRIMERO

Cuadro Primero

Antes de levantarse el telón, y ya con la batería encendida,⁴ se escuchan dos detonaciones un poco espaciadas. Un poco después, el telón se alza lentamente y a la izquierda de la escena, en primer término y de cara⁵ al público, vemos a Harris, policeman de servicio,⁶ que, apoyado en un farol,⁷ silba tranquilamente una cancion- 5 cilla, mientras se distrae dándole vueltas a su cachiporra.⁸

1. front	5. foreground and facing
2. distant suburb	6. on duty
3. takes place	7. leaning on a street lamp
4. footlights lighted	8. turning his billy stick

3

*El decorado es un telón corto, que representa la fachada de la
casa de los Barrington. A la derecha está la casa, y a continuación[9]
de la casa, hasta perderse en el lateral izquierdo, una alta reja[10] con
fondo de jardín.*

5 *La casa consta de dos plantas.[11] En la parte baja está la farmacia,
también propiedad de los Barrington. Y junto a la puerta de la
farmacia y el escaparate[12] hay otra puerta principal que viene a
caer[13] a la derecha de la escena y por la que se sube a la vivienda.[14]
Ambas puertas están cerradas.*

10 *En la planta alta vemos las tres ventanas del piso de los Barrington, dos de las cuales, con tupidos visillos,[15] están iluminadas.*

*Es de noche y la espesa niebla impide ver con claridad, aunque
no deje de advertirse cierto aire sombrío y misterioso en este decorado.*

15 *Momentos después de levantarse el telón se oye una tercera detonación, sin que el policeman se inquiete lo más mínimo[16] y deje
de silbar su cancioncilla. Y por la derecha aparece El Hombre Jorobado,[17] que mira a un lado y otro misteriosamente. El policía no
se da cuenta de su presencia hasta que El Hombre Jorobado se*
20 *aproxima[18] a él y le dice en inglés: (Lo encerrado entre paréntesis
es la pronunciación figurada.)*

HOMBRE.   Good evening. (*Gud ivening.*)

HARRIS.   Good evening, sir. (*Gud ivening, ser.*)

HOMBRE.   Would you tell me, please . . . What time it is? (*Wut*
25 *yiú tell mi, plis . . . Wout taim it tis?*)

HARRIS.   Nothing more than that . . . Of course . . . (*Nocin mor
den det . . . Of cos . . .*)

HOMBRE.   What a foggen night! . . . One can get lost in the
streets! . . . (*Wout e fogin nait! Van guenguet last in de strits . . .*)

30 HARRIS.   Indeed, it is a very bad night . . . (*Y mira el reloj que
ha sacado.*) It is seven o'clock and twenty minutes . . . (*Indid it tis
e very bed nait . . . It tis seven o cloc end tuenti minits . . .*)

HOMBRE.   Many thanks. You are very kindly . . . Is this the

9. as an extension	14. dwelling
10. railing	15. thick curtains
11. consists of two floors	16. being the least bit worried
12. display window	17. hunchback
13. is located	18. approaches

Hardy-Street? (*Meny zenks. Yiú ar very caintli. Is dis di Hardy-Strit?*)

HARRIS. Yes. It is. (*Yes. It tis.*) (*Durante este diálogo, en inglés correctísimo, aparece por la derecha míster Barrington, que se queda mirando a los dos y escucha las últimas frases.*) 5

HOMBRE. Many thanks. (*Meny zenks.*)

HARRIS. Good night, sir. (*Gud nait, ser.*) (*Y El Hombre Jorobado hace mutis*[19] *por la izquierda.*)

BARRINGTON. No sabía que hablase usted tan bien el español, sargento Harris. 10

HARRIS. (*Dándose cuenta de su presencia.*) ¡Ah, buenas noches, míster Barrington! Un extranjero me ha preguntado en ese idioma la hora que era, y le he contestado en la misma lengua, porque soy bilingüe.

BARRINGTON. Acepto encantado el que sea bilingüe; mi querido 15 sargento Harris, siempre que cumpla con su deber y preste atención a ciertos ruidos extraños que he escuchado cuando venía hacia casa.

HARRIS. ¿Se refiere quizá a algo así como tres disparos[20] de revólver?

BARRINGTON. En efecto, sargento. Y no muy lejos de aquí, según 20 me ha parecido.

HARRIS. Con esta noche de niebla, no es extraño, míster Barrington. Ya sabe usted que en Londres, durante estas terribles noches de puré de guisantes,[21] es cuando los criminales aprovechan para matar a sus pobres e inocentes víctimas. 25

BARRINGTON. (*Con pesadumbre.*)[22] Desgraciadamente, así es. Y la verdad es que no comprendo lo que sacan con[23] eso.

HARRIS. ¡Bah! Una manía como otra cualquiera, que en el fondo debemos disculpar.[24] Yo por eso nunca hago caso de estos asesinatos.[25] Si quieren matar, que maten, y con su pan se lo coman.[26] 30

BARRINGTON. Su comportamiento,[27] sargento Harris, es el de un perfecto *gentleman* . . . No es correcto meterse en asuntos ajenos y menos siendo policía, que es un cargo en el que hay que tener educación y buenas maneras; sobre todo en el Reino Unido . . .

19. makes his exit	22. sorrow	25. murders
20. shots	23. they get out of	26. what's the difference
21. thick pea soup	24. excuse	27. behavior

HARRIS.   Yo, al menos, opino de este modo desde que un día detuve a un ladrón y, al llevarle a presidio,[28] le dije: «Ahora comprenderás que no es bueno el oficio que has elegido.» A lo que él me respondió: «Bueno, sí lo es. Lo que ocurre es que ustedes, los
5 guardias, lo estropean.»[29] Y pensé que tenía razón . . .

BARRINGTON.   (*Echándose a reír a carcajadas.*)[30] ¡Ja, ja! ¡Muy bien! ¡Le felicito,[31] amigo Harris! Veo que sabe usted seguir una broma desde el principio, y que a costa de estos últimos cohetes[32] con que han terminado las endiabladas[33] fiestas de la barriada[34] de
10 Watford, me ha demostrado usted una vez más su desarrollado sentido del humor británico.

HARRIS.   (*Riendo igualmente.*)[35] Usted también lo tiene, míster Barrington . . . Humor y flema londinenses . . .

BARRINGTON.   No en balde[36] somos los dos ingleses . . .

15 HARRIS.   Así es, en efecto . . . A propósito . . . ¿Puedo ofrecerle una taza de té? (*Y hace ademán de sacar de debajo de la capita del uniforme una taza de té.*)

BARRINGTON.   No, muchas gracias . . . Acabo de tomar un té en la oficina y otro té en el tranvía, que me ha ofrecido el conductor
20 . . . Además es tarde y voy a cenar pronto . . . ¿Y sabe usted con quién, por cierto?

HARRIS.   Con su esposa, claro . . .

BARRINGTON.   Con mi esposa y un invitado al que espero, y que está a punto de llegar. (*Y mira la hora en su reloj de bolsillo.*) Y
25 ese individuo se llama Douglas Hilton.

HARRIS.   ¿Cómo? ¿El famoso detective?

BARRINGTON.   El mismo. Hemos sido compañeros de colegio, y hace unos días, que le encontré en la calle casualmente, quedó en[37] venir a cenar con nosotros, pues ni siquiera conoce a mi esposa . . .
30 ¡Tantos años sin habernos visto!

HARRIS.   Se asegura que es el hombre de más talento de Scotland Yard y que sus deducciones son extraordinarias.

BARRINGTON.   Yo de esas cosas no entiendo nada, amigo Harris.

28. penitentiary	33. devilish
29. spoil	34. district
30. Starting to laugh heartily	35. likewise
31. I congratulate	36. in vain
32. fireworks	37. he agreed

Lo importante es que era un querido condiscípulo[38] y que voy a sentir mucho no poder hacerle los honores que merece, ya que al invitarle no recordé que nuestra cocinera tiene su día libre, y mi pobre esposa ha de preparar sola la lombarda.[39] (*Del interior de la casa llega hasta ellos la música de un piano en el que se interpreta* **5** *«El pequeño vals».*)

HARRIS. Al parecer ya la tiene dispuesta. ¿No oye? La señora Barrington ha empezado a tocar el piano como todas las noches...

BARRINGTON. ¡Ah! ¡Pobre Carlota! ¡Dulce *darling*! ¡Cuidado que se pone pesada con ese condenado piano! ¡Siempre toca que toca **10** y toca que te toca! ... (*Por la derecha se escucha el ruido de un coche de caballos. Barrington mira en esa dirección.*) ¡Ah! ¡Un coche se detiene en la esquina! ... Apostaría a[40] que es Douglas Hilton ... (*Y va hacia el lateral indicado.*) ¡Sí, es él! (*Y le llama.*) ¡Douglas! (*Y por la derecha entra Douglas Hilton, el famoso de-* **15** *tective. Se saludan efusivamente.*) ¡Mi querido Douglas! ¿Qué tal estás ...?

DOUGLAS. Perfectamente, Charlie ... ¿He sido puntual?

BARRINGTON. (*Mirando de nuevo su reloj.*) No es posible más exactitud, mi buen amigo ... Las siete y veintitrés en punto.[41] **20**

DOUGLAS. (*Siempre en su papel de detective desconfiado.*)[42] ¡Es curioso! ¿Me puedes explicar cómo lo sabes?

BARRINGTON. ¿No ves que he mirado el reloj?

DOUGLAS. ¡Ah, sí! ¡Claro! Muy bien ... Magnífico. Has mirado el reloj y has visto la hora ... Muy interesante ... (*Y dice estas* **25** *palabras con tal aire de petulancia y de sabiduría, que desconcierta*[43] *a todos.*)

BARRINGTON. Yo acabo de llegar de la oficina y te estaba esperando en la calle por si[44] no dabas con la casa, que es ésta ...

DOUGLAS. Claro, claro ... Verdaderamente curioso ... ¿Y tu **30** esposa?

BARRINGTON. La estás escuchando en este momento.

DOUGLAS. ¡Ah! ¿Toca el piano?

BARRINGTON. Ya la oyes. Es una consumada profesora.[45]

38. schoolmate
39. red cabbage
40. I would bet
41. exactly

42. distrustful
43. disturbs
44. in case
45. real professional

HARRIS.   (*Aproximándose a los dos.*) Tanto es así, míster Hilton, que yo todas las noches me paso aquí bastante tiempo para tener el placer de oírla.

DOUGLAS.   Muy bien ... Es interesante saberlo.

5 BARRINGTON.   Olvidé presentarte al sargento Harris, un gran admirador de tus famosas deducciones ...

HARRIS.   Así es, míster Hilton.

DOUGLAS.   Muchas gracias, sargento ... Por cierto ... ¿Hace mucho tiempo que se le ha muerto su mujer?

10 HARRIS.   (*Estupefacto.*)[46] ¿Cómo es posible que sepa usted que soy viudo?

BARRINGTON.   ¡Es en verdad asombroso!

DOUGLAS.   No tiene la menor importancia. Un agente que escucha en la calle las líricas notas de un piano que toca en su hogar 15 una vecina, no cabe duda[47] de que es un agente sentimental. Y para que un guardia, con el sueldo que gana y con la nochecita[48] que hace, sea un sentimental, sólo pueden existir dos motivos: que su mujer se le haya escapado con otro, o que se le haya muerto recientemente. En el primer caso, el sargento Harris tendría la nariz 20 colorada de beber *whisky* para olvidar. El tenerla pachucha,[49] de beber té, me ha hecho inclinarme por la segunda suposición ...

HARRIS.   ¡Es inaudito![50]

BARRINGTON.   Pero de todos modos, también podría ser sentimental siendo soltero ...

25 DOUGLAS.   ¡Ah! Imposible de todo punto[51] ... Antes de venir aquí me informé por curiosidad de los agentes que hacen servicio en este distrito, y pude comprobar[52] que el sargento Harris era viudo.

BARRINGTON.   (*Riendo.*) ¿Oye usted, Harris? También míster 30 Hilton nos demuestra su fino sentido del humor británico ...

HARRIS.   En efecto, la chanza[53] ha sido buena.

BARRINGTON.   Y bien, Carlota nos espera ... ¿Entramos?

DOUGLAS.   (*Deteniéndole con un ademán.*) ¡Por favor, Charlie!

46. Stupefied	49. pale	52. verify
47. there is no doubt	50. extraordinary	53. joke
48. dusk	51. absolutely	

No es correcto interrumpir a una pianista que sabe es escuchada por un agente sentimental . . . (*A Harris, en tono confidencial y severo.*) Porque ella debe de saber que usted la escucha todas las noches . . ., ¿no es cierto, sargento?

HARRIS.   (*Confuso.*) No sé . . . Posiblemente . . .   5

DOUGLAS.   Seguro, amigo mío . . . De lo contrario no pondría tanta emoción en su concierto.

BARRINGTON.   (*Desconfiado.*) ¿Tanta emoción? ¿Qué quieres decir, Douglas?

DOUGLAS.   No tiene importancia, querido . . . Nada en el mundo   10 tiene importancia . . . (*Y cesa la música de piano.*) Bien. Ya dejó de tocar . . . ¿Entramos?

BARRINGTON.   Sí. Ya es tarde. (*Y se aproxima a la puerta de la derecha y golpea con el llamador que hay en la puerta de la vivienda.*) Debo antes llamar. Carlota está sola en la casa y tiene que   15 bajar a abrirnos . . .

DOUGLAS.   ¿Cómo sola? ¿Carecéis de servicio?[54]

BARRINGTON.   Me olvidé, al invitarte, que nuestra cocinera tiene hoy su día libre, percance[55] que espero me disculpes . . .

DOUGLAS.   Por favor . . . Tenemos confianza . . .   20

BARRINGTON.   ¿Qué te parece la farmacia de mi mujer?

DOUGLAS.   Muy interesante . . . ¿Toda la casa es vuestra?

BARRINGTON.   Sí. La casa y el pequeño jardín que la rodea. Queda un poco solitaria, quizá, pero el barrio es tranquilo. ¡Es raro que tarde tanto en bajar Carlota! (*Y llama, dirigiéndose a los balco-*   25 *nes.*) ¡Carlota! ¡*Darling*!

DOUGLAS.   No te impacientes . . . No tenemos ninguna prisa . . .

BARRINGTON.   Es sólo un tramo de escalera . . .[56] No hay razón para que eche[57] este tiempo.

DOUGLAS.   ¿Y cómo no tienes llavín?[58]   30

BARRINGTON.   ¿Para qué usarlo, si siempre me espera ella cuando regreso de la oficina?

DOUGLAS.   ¿Y no hay otra puerta, sargento?

54. Are you lacking servants?
55. misfortune
56. flight of stairs

57. she take
58. latchkey

HARRIS. La de servicio, que está detrás y da a un callejón.[59]

BARRINGTON. Pero de esa puerta sólo existe una llave que se lleva siempre Velda Manning, nuestra cocinera.

DOUGLAS. ¡Ah! ¡Velda Manning, la cocinera! . . . ¿Y la puerta
5 de la farmacia?

BARRINGTON. Se abre y se cierra por dentro . . . La farmacia comunica con nuestra vivienda.

HARRIS. Todo esto es muy extraño, míster Barrington, y estoy un poco inquieto . . . Y no encontrándose bien la señora, como no
10 se encontraba últimamente . . .

DOUGLAS. ¡Ah! ¿Padece de algo?

BARRINGTON. A veces se queja del corazón, pero no es nada grave . . . (*Y vuelve a gritar, realmente preocupado.*) ¡Carlota! ¡Carlota!

15 DOUGLAS. Algo raro ocurre, indudablemente . . .

BARRINGTON. ¡Tendremos que forzar la puerta!

HARRIS. Fíjese, míster Barrington . . . ¡Está entreabierta[60] la ventana de arriba! Y antes que la señora empezase a tocar el piano, estaba cerrada . . .

20 BARRINGTON. ¿Y qué pasa con eso?

HARRIS. No lo sé . . . Pero si le parece, yo puedo trepar[61] hasta esta ventana . . .

DOUGLAS. (*Sacando unas llaves.*) ¿Trepar? No . . . No es necesario, sargento Harris . . . Traigo un juego completo de ganzúas[62]
25 y en unos segundos la puerta estará abierta. Pero mientras tanto, querido Charlie, debo decirte que a tu buena esposa no le ha ocurrido nada.

BARRINGTON. ¡Ojalá[63] fuese así!

DOUGLAS. (*Y cambia su tono ligero por otro contundente.*)[64]
30 Lo que sospecho, en cambio, es que Carlota ha debido de abrir la ventana para verme y después ha huido por la puerta de servicio . . .

BARRINGTON. (*Verdaderamente extrañado.*) ¿A santo de qué[65] iba a huir mi mujer de un amigo mío?

59. alley
60. half-open
61. climb
62. complete set of skeleton keys

63. Would that
64. forceful
65. Why

DOUGLAS. No huye de un amigo, querido Barrington, sino nada menos que de Douglas Hilton, detective de Scotland Yard ...

HARRIS. ¡Pero eso es un disparate, míster Douglas!

BARRINGTON. ¿Cómo puedes pensar cosa así?

DOUGLAS. (*Enérgico y autoritario.*) ¡Lo pienso y lo mantengo! 5 Tu mujer me ha visto, y ha escapado. Y te aseguro que suelo equivocarme pocas veces ... (*Ha conseguido abrir la puerta con sus ganzúas.*) ¿Ves? Ya la puerta está abierta ... (*Conteniendo a Harris, que avanza para entrar.*) ¡No! ¡No se mueva de aquí, sargento Harris! Y tú, Charlie, sube detrás de mí ... (*Entra Douglas, seguido* 10 *de Barrington, que llama angustiado a su mujer.*)

BARRINGTON. ¡Carlota! ¡Carlota! ... (*Y unos momentos antes de estas últimas frases, El Hombre Jorobado, que vimos al principio, aparece misteriosamente por la izquierda y se queda mirando al grupo.*) 15

Oscuro

EXERCISES

I. Translate.

1. El policía dejó de silbar.
2. No se dio cuenta de que iba a perderse.
3. ¡Querido hombre mío! ¿Dijo usted que es bilingüe?
4. Preste usted atención cuando su padre habla de su comportamiento.
5. En efecto, el ruido vino de muy lejos.
6. En el fondo es un buen sargento.
7. Por eso debes hacer caso a sus víctimas.
8. A propósito, ¿le gusta la música de piano?
9. Por cierto cenará conmigo.
10. En balde, me pide que cante.
11. Quedó en venir a las siete.
12. No puedo dar con la casa.
13. No cabe duda de que es una pianista excepcional.
14. Teníamos prisa, pero ella no bajó a abrirnos la puerta.
15. Los dos se quedan sin hablarse.

II. Preguntas.

1. ¿En dónde tiene lugar la comedia?
2. ¿Qué tiempo hacía esa noche?
3. ¿Qué hora era?
4. ¿Qué es un bilingüe?
5. ¿Cuántas detonaciones había?
6. ¿Quién es Harris?
7. ¿Quién es el invitado a quien Barrington espera en la calle?
8. ¿Cuánto tiempo hace que el señor Barrington conoce a Douglas Hilton?
9. ¿Por qué no prepara la cena la cocinera?
10. ¿Qué música se oye en la calle?
11. ¿En dónde pasa las noches Harris? ¿Por qué?
12. ¿Por qué no entran en la casa en seguida?
13. ¿De quién era la farmacia?
14. ¿Por qué era necesario que Carlota bajara a abrir la puerta?
15. ¿Quién tiene la llave para la puerta de servicio?
16. ¿Cómo entraron en la casa de los Barrington?

III. Match the vocabulary in the left column with its English meaning.

A.
1. advertirse
2. aprovechar
3. alzarse
4. distraerse
5. meterse

1. to be raised
2. to distract (or divert) oneself
3. to be noticed
4. to meddle
5. to take advantage

B.
1. a continuación
2. broma
3. cocinera
4. educación
5. viudo,-a

1. widow, widower
2. as a continuation
3. training
4. jest, joke
5. cook

C.
1. aficionado, -a
2. ajeno
3. desgraciadamente
4. encantado
5. sombrío

1. unfortunately
2. enchanted, charmed
3. another's, other people's
4. somber, gloomy
5. fond of

alcoba	bedroom	equivocado, -a	mistaken, wrong
arco	arch	flaquear	to weaken, become weak
butaca	armchair	intentar	to attempt
clavo	nail	opuesto, -a	opposite
cuarto de baño	bathroom	pisar	to set foot in
detalle *m.*	detail	rodar	to roll
encima de	on top of	seda	silk
enfrente (de)	in front (of);	seguridad *f.*	assurance
	opposite		

Cuadro Segundo

Con el oscuro se levanta el telón corto, mientras se sigue escuchando la voz de Barrington que llama a Carlota. Y al dar nuevamente la luz,[1] vemos el saloncito que comunica con lo que suponemos es la alcoba en casa de los Barrington.

La entrada a la alcoba, a la izquierda, en segundo término,[2] con 5 *dos caídas de cortinas de gasa[3] a cada lado del arco que la separa del saloncito. Dos ventanas o balcones al foro,[4] que corresponden a los que veíamos iluminados en la fachada. Un piano abierto en primer término de la izquierda y papeles de música tirados por el suelo. Una puerta a la derecha, en segundo término, que conduce* 10 *a la escalera de la vivienda y a otras habitaciones. En primer término, y también a la derecha, una escalerita de caracol[5] por la que se baja a la farmacia. Muebles ingleses de la época, ya un poco gastados. Una mesa en el centro, que rodean tres sillas. Un secrétaire[6] a la derecha, en primer término. Un viejo mueble armario[7]* 15 *al fondo, entre dos balcones.*

1. as the light comes on again	5. small spiral staircase
2. mid-stage	6. *French* writing desk
3. panels of gauze curtains	7. movable cabinet
4. back	

Retratos con marcos[8] *en las paredes, pañitos*[9] *sobre las butacas y muchos detalles femeninos en los que se ve la mano de una mujer primorosa y casera.*[10] *Las luces de la alcoba y el salón están encendidas.*

5 No hay nadie en la habitación, pero inmediatamente vemos entrar por la puerta de la derecha a Douglas Hilton seguido de Barrington.

DOUGLAS. ¡Nadie!

BARRINGTON. (*Se dirige a la escalera de caracol y llama.*) ¡Car-
10 lota! (*Douglas Hilton, al mismo tiempo, va a la alcoba y, al ir a entrar, se detiene horrorizado,*[11] *mirando al interior.*)

DOUGLAS. ¡Charlie! (*Charlie va hacia donde está Hilton y se queda a su lado, mirando al mismo sitio. Las piernas le flaquean y exclama con dolor.*)

15 BARRINGTON. ¡Carlota! (*Entra Douglas Hilton en la alcoba, de donde sale en seguida.*)

DOUGLAS. ¡Muerta!

BARRINGTON. ¡No! ¡No es posible! (*Y quiere entrar en la alcoba, pero Hilton le contiene.*)

20 DOUGLAS. Sí, Charlie. Muerta . . . Mi suposición era equivocada . . . Debes perdonarme . .

BARRINGTON. ¡Pero no puede ser que haya muerto! ¡Su enfermedad no era tan grave! . . . Hoy se encontraba perfectamente bien . . .

DOUGLAS. No ha muerto de ninguna enfermedad, sino estrangu-
25 lada con un cordón de seda . . .

BARRINGTON. (*Horrorizado.*) ¡Carlota! (*Charlie intenta de nuevo entrar en la alcoba, pero Hilton le detiene.*)

DOUGLAS. No. Hasta que no llegue[12] el juzgado,[13] no puedes pisar esa habitación. Lo siento, Charlie . . .

30 BARRINGTON. (*Desesperado, se sienta en una silla junto a la mesa del centro.*) Pero ¿cómo es posible? ¿Cómo ha podido ocurrir una cosa así? ¡No puedo creerlo, Douglas! ¡No puedo creerlo! (*Douglas se ha asomado al balcón y dice desde allí, dirigiéndose al sargento, que se supone sigue en la calle.*)

8. frames
9. doilies
10. neat, and a housekeeper
11. horrified
12. Omit *no* in translation
13. law officer

DOUGLAS. ¡Acaba de cometerse un asesinato, sargento Harris! La señora Barrington ha muerto estrangulada, y debe pedir ayuda inmediatamente ... (*Y sale del balcón, que deja abierto, mientras se escucha en la calle el silbato*[14] *de Harris.*)

BARRINGTON. (*Mientras solloza.*)[15] ¡Pero ella estaba viva hace 5 unos minutos! ¿Cómo ha podido ser todo tan rápido? ¿Es posible que en estos segundos que hemos estado en la calle, desde que ella dejó de tocar el piano ...?

DOUGLAS. Debieron de atacarla mientras tocaba ... Los papeles de música han rodado por el suelo ... (*Y mientras recoge* 10 *los papeles, que deja encima del piano, advierte que sobre éste hay una pitillera*[16] *de plata. La coge, la mira y la deja en su sitio. Después, grita inquieto.*) ¡Charlie!

BARRINGTON. ¿Qué?

DOUGLAS. El asesino apenas ha tenido tiempo de escapar ... 15 Aún debe de estar aquí, muy cerca de nosotros ...

BARRINGTON. (*Se levanta asustado.*) ¡Es verdad, Douglas! ...

DOUGLAS. Tenemos que registrar[17] la casa.

BARRINGTON. ¡No! ¡Yo, no! ¡No puedo dejar sola a la pobre Carlota! ... Y además tengo miedo ... 20

DOUGLAS. Yo también, pero es imprescindible ...[18] (*Saca un revólver del bolsillo.*) Estamos en peligro ... ¿Adónde conduce esta escalera?

BARRINGTON. A la farmacia ... Pero antes ...

DOUGLAS. Antes, ¿qué? 25

BARRINGTON. Junto a la alcoba está el cuarto de baño y desde aquí veo que la puerta está cerrada ... (*Douglas entra en la alcoba. Charlie en el centro de la escena, espera amedrentado.*[19] *Douglas sale al poco tiempo.*)

DOUGLAS. Nada ni nadie. Todo en orden ... Y la ventana que 30 da a la calle está cerrada con pestillo.[20] (*Refiriéndose a la puerta de la derecha.*) ¿Adónde se va por ahí?

BARRINGTON. Al comedor y al piso de abajo, donde está la

14. whistle
15. he sobs
16. cigarette case
17. search

18. imperative
19. frightened
20. a latch

puerta de la calle, por donde hemos entrado . . . Y al lado opuesto, la puerta de servicio . . .

DOUGLAS.   Vamos para allá entonces . . . No podemos perder ni un solo minuto . . .

5   BARRINGTON.   Sí, Douglas . . . Vamos . . .

DOUGLAS.   Pasa tú delante, por favor . . . (*Hacen mutis por la puerta de la derecha. Al poco tiempo, sigilosamente*[21] *y por la escalera de caracol, vemos subir al Hombre Jorobado. Va a seguir subiendo pero escucha ruido en un balcón y vuelve a perderse de* 10 *vista. Y por uno de los balcones entra el sargento Harris, que mira desconfiadamente a uno y otro lado para tener la seguridad de que está solo, y después se dirige hacia la alcoba y se detiene ante la puerta emocionado, mirando al interior, mientras dice con profunda pena:*)

15   HARRIS.   ¡Dios mío! ¡Mi pobre y querida Carlota! ¡*Darling*! (*Después se repone de*[22] *su emoción y apresuradamente busca algo por el gabinete,*[23] *que encuentra al fin sobre el piano. Es la pitillera de plata, que esconde en un bolsillo. En la calle se escucha un silbato y la voz del Policeman 1°.*)

20   POLICEMAN 1°.   ¡Sargento Harris! (*Harris se asoma al balcón.*)

HARRIS.   Buenas noches, cabo. Uno de vosotros debe ir hacia la espalda de la casa, donde está la puerta de servicio. Y otro que me espere abajo hasta que yo salga. Detened a todo el que pase por los alrededores.

25   VOZ POLICEMAN 1°.   Bien, sargento Harris. (*Harris cierra el balcón y se dirige a la puerta a la derecha. Pero se da cuenta de que viene alguien y se esconde tras una cortina. Entra Barrington por esta puerta, desolado, y se sienta en el centro. Entonces Harris se le aproxima, como si también hubiera entrado por la puerta.*)

30   HARRIS.   ¡Es terrible lo sucedido, míster Barrington! Y sobre todo . . . ¿quién puede ser el criminal??

BARRINGTON.   Quienquiera[24] que haya sido ha escapado por la puerta de servicio, que hemos encontrado abierta. ¿Cómo es posible que haya sucedido una cosa así? ¡No puedo creerlo! ¡No puedo 35 creerlo!

21. secretly
22. he recovers from
23. sitting room
24. whoever

HARRIS. Debe tranquilizarse, míster Barrington...

BARRINGTON. Si yo hubiera subido en seguida a casa, sin detenerme a hablar con usted, mi mujer estaría viva ... ¡Yo y sólo yo he sido el culpable de que ella haya muerto!

HARRIS. Era imposible de prever ... [25] Además, usted esperaba 5 a míster Douglas, que era su invitado.

BARRINGTON. Y ¿qué le doy yo de cenar ahora?

HARRIS. El es inteligente y se hará cargo de las circunstancias ... (*Por la escalera de caracol aparece Douglas comiendo un* sandwich.)   10

DOUGLAS. Lombardas y *sandwichs*, amigo Charlie ... Tu mujer, antes de morir, tuvo la delicadeza de preparar la cena.

BARRINGTON. ¡Mi pobre Carlota!

HARRIS. ¡Era tan buena misis Barrington ...!

BARRINGTON. Desde luego mucho mejor que su asesino, que 15 después de entrar y salir por la puerta de servicio ha desaparecido en la niebla.

HARRIS. ¿No ha encontrado nada en la casa, míster Hilton?

DOUGLAS. Nada.

HARRIS. ¿Y en la farmacia?   20

DOUGLAS. Menos aún, puesto que[26] el cajón del dinero ha sido forzado para robar.

BARRINGTON. (*Exaltado.*)[27] ¡No! ¡Eso sí que no puedo creerlo!

DOUGLAS. ¿Por qué?

BARRINGTON. (*Cambia de tono.*) No. Por nada, Douglas ...   25

DOUGLAS. ¿Había mucho dinero?

BARRINGTON. No lo sé. Nunca me he ocupado de eso.

DOUGLAS. ¿Quién llevaba el negocio?

BARRINGTON. La misma Carlota, ayudada por el mancebo Fred Sullivan.   30

DOUGLAS. ¡Ah! Es interesante ... ¡Fred Sullivan, el mancebo!

HARRIS. Pero yo le vi marcharse al cerrar la farmacia, una hora antes de que la señora Barrington empezase a tocar el piano ...

25. foresee   26. since   27. Excited

DOUGLAS. ¿Y durante esa hora no se ha movido usted de enfrente la casa?

HARRIS. No recuerdo bien.. Quizá sí ... Un paseo corto a lo largo de la calle ...

5 DOUGLAS. De todos modos sería conveniente, sargento, que fuese usted al cuartelillo[28] a dar cuenta de lo sucedido, para que venga el juzgado con el forense.[29] Y de paso[30] deben buscar a dos personas ... A Fred Sullivan, el mancebo, y a Velda Manning, la cocinera.

10 HARRIS. (*Yendo hacia la puerta de la izquierda.*) Voy en seguida, míster Douglas ...

DOUGLAS. (*Que ha llegado junto al piano.*) Un momento ... ¿Quién ha cogido de aquí una pitillera? Había una encima del piano cuando entré por primera vez.

15 BARRINGTON. Yo no he visto nada ... Tengo la mía en el bolsillo ...

DOUGLAS. ¿A ver?

BARRINGTON. (*Saca su petaca.*)[31] Aquí está.

DOUGLAS. Gracias ...

20 HARRIS. Ni yo tampoco he visto nada, míster Douglas.

DOUGLAS. Bah ... No tiene ninguna importancia ... A lo mejor me he confundido ... Y dígame, sargento: ¿por dónde ha entrado usted en la casa? ...

HARRIS. Por la puerta ... ¿Por qué otro sitio podía entrar?

25 DOUGLAS. Bien. Muchas gracias. Puede usted marcharse. Era todo lo que necesitaba saber ... (*Harris hace mutis por la puerta de la derecha. Barrington sigue sentado en su silla, dando muestras[32] de pesadumbre. Hilton vuelve a recorrer con la mirada la habitación y después cierra la puerta de la derecha con ademán*
30 *enérgico y se dirige a Barrington con tono seco.*)

DOUGLAS. Y bien, míster Charlie Barrington ... Ahora que usted y yo estamos solos es inútil que sigamos fingiendo una amistad que no nos une. Y le ordeno, por tanto, que me diga usted toda la verdad.

---

28. headquarters   30. in passing   32. showing signs
29. legal examiner   31. cigar case

BARRINGTON. *(Desolado.)* Después de lo ocurrido, ¿qué verdad puedo yo decirle? Y, sobre todo, ¿qué importa esta verdad?

DOUGLAS. ¡Es su deber no ocultar nada a la policía!

BARRINGTON. Antes le suplico que me explique algo que no comprendo. ¿Por qué razón creía que mi mujer huía de usted? 5 ¿Por qué sospechaba de ella?

DOUGLAS. ¿De quién iba a sospechar entonces? Hace unos cuantos días se presenta usted en mi despacho y me propone que venga a cenar a su casa para que conozca a su mujer. «Existe un enigma en mi esposa—me dice—que no comprendo bien y que quiero que 10 usted me ayude a descifrar.³³ Pero no le diga que yo le he buscado, sino que se trata de un antiguo³⁴ compañero de colegio al que he encontrado casualmente después de no vernos en muchos años.» «¿Puedo decir que soy detective?», le pregunto. Y usted me contesta: «Lo creo conveniente. El caso es que tanto ella como todos 15 los que nos tratan nos crean íntimos amigos para que su presencia no les extrañe.» ¿Por qué todas estas recomendaciones, míster Barrington? Es evidente que usted sospechaba algo de Carlota, y es lógico, por tanto, que yo me aventurase a sospechar también.

BARRINGTON. Tiene usted razón, míster Hilton . . . Siempre he 20 supuesto que algún día habría de ocurrir algo horrible, pero nunca pude imaginar que sucediera esta misma noche . . . ¡Esta noche, precisamente, que usted ha venido! . . .

DOUGLAS. ¿Por qué no me puso al corriente³⁵ de esas suposiciones la tarde que me fue usted a ver? . . . 25

BARRINGTON. Creí más conveniente que juzgase antes por sí mismo, que conociese a Carlota, que se diese cuenta de su misterio . . . Y, sobre todo, que respirase la pesada atmósfera de esta casa, que yo respiro desde que me casé . . . , hace ya tres años . . .

DOUGLAS. Carlota sabía que su supuesto amigo íntimo, el que 30 iba a venir esta noche, era detective. ¿Y Velda Manning?

BARRINGTON. También. Lo dije ayer durante la cena y la señora Manning estaba presente.

DOUGLAS. ¿Sospecha de ella?

33. decipher
34. former

35. did you not inform me

BARRINGTON.   Sólo sé que Velda Manning es la única que tenía
la llave de la puerta de atrás y que por esta puerta, que según usted
no ha sido forzada, es por donde ha entrado y salido el asesino de
mi esposa. Pero ese robo en la caja de la farmacia me desconcierta
5 ... No se trata aquí de dinero, sino de venganzas ...

DOUGLAS.   Es imprescindible que me cuente todo, míster Barrington ... El juzgado aún tardará en venir y debemos ganar
tiempo si queremos que este asesinato no quede impune ...[36]
¿Cómo conoció a Carlota? ¿En qué circunstancias?

10 BARRINGTON.   Yo vivía en Dover y ocupaba mi puesto de cajero
en la sucursal[37] de un Banco de Londres. Carlota iba a pasar allí
sus vacaciones a casa de unos tíos. Alguien nos presentó, simpati-
zamos[38] y nos hicimos novios. Acababa de quedarse viuda de su
primer marido, el señor Smith ...

15 DOUGLAS.   ¿Ha dicho usted el señor Smith?

BARRINGTON.   Sí. El señor Smith.

DOUGLAS.   Bien. Siga ... Es interesante.

BARRINGTON.   Por ser muy reciente la muerte del señor Smith,
ella no quería darle mucha publicidad a estas relaciones, y sólo nos
20 veíamos en Dover durante un mes todos los veranos, ya que Carlota
era farmacéutica y su farmacia le ocasionaba mucho trabajo. A los
cinco años nos casamos en Dover y la noche de bodas la vinimos
a pasar aquí. Fue la primera vez que pisé esta casa y desde aquella
noche yo supe que Carlota estaba en peligro y que en cualquier
25 momento, irremisiblemente,[39] habría de morir.

DOUGLAS.   ¿Qué ocurrió esa noche? Es necesario que me cuente
todo para que yo me dé cuenta de cómo era Carlota ... Su vida,
su carácter, su historia ...

BARRINGTON.   Debo ir por orden,[40] míster Douglas ... Después
30 de la ceremonia en privado, tomamos el tren en Dover. A causa
del mal tiempo llegamos a Londres con bastante retraso ...[41] La
tormenta[42] era fuerte y nos fue difícil encontrar un coche que nos
trajese hasta la casa ... (*La luz empieza a bajar. Se escucha, distante, el ruido de la tormenta.*) Carlota estaba un poco nerviosa,

36. unpunished	40. in order
37. cashier in the branch	41. delay
38. we were congenial	42. storm
39. unpardonably	

pero esto no es extraño en una mujer que acaba de casarse. Lo extraño era su comportamiento, sus palabras, sus silencios, su casa, su pasado ... Y, sobre todo, sus criados, que nos esperaban ... Ella vivía con Velda Manning y su marido, que fue el primero que murió.   5

DOUGLAS.   ¿Cómo el primero?

BARRINGTON.   El primero, estando yo aquí. Anteriormente ya habían muerto dos. Conocí a los criados esa misma noche, y yo le aseguro ...

DOUGLAS.   ¡No me hable usted de los criados, sino de Carlota! 10 ¿No comprende que Carlota está ahí, muerta, cerca de nosotros, y yo quiero saber cómo era viva? ¡Por los clavos de Cristo! ¿No ve que ardo en curiosidad por saber quién era Carlota?

BARRINGTON.   Nada más[43] llegar, Carlota subió a esta habitación, mientras yo pagaba al cochero ... Y en seguida me empezó 15 a llamar desde aquí ... ¡Charlie! ¡Charlie! (*Se hace oscuro en la escena, durante el cual se escucha la voz de Carlota, que suena como un eco de la voz de Barrington.*)

43. scarcely

EXERCISES

I. Match the words which are similar in meaning.

1. a causa de	1. quemar
2. apresuradamente	2. porque
3. arder	3. matrimonio
4. asoma	4. sorprender
5. asustado	5. por eso
6. boda	6. aparece
7. butaca	7. darse prisa
8. conducir	8. llevar
9. equivocado	9. empleo
10. extrañar	10. silla
11. lugar	11. habla a
12. pesado	12. no tener razón
13. por tanto	13. sitio
14. puesto	14. espeso
15. se dirige a	15. espantado

II. Translate into idiomatic Spanish the words in italics.
1. El *has just* cometer un asesinato.
2. Dice que él *is afraid*, y que no saldrá de la habitación.
3. La ventana *does not face* la calle sino al patio.
4. *Finally* encuentra lo que busca sobre el piano.
5. Quiere saber *especially* lo que ha sucedido.
6. Creo que él *understands* los hechos.
7. «Desde luego» *means* «por supuesto».
8. *Along* la calle se paseó.
9. *At any rate* no recuerdo adonde fui.
10. *Apparently*, no ha muerto de ninguna enfermedad.
11. A *few days ago* vino usted a mi despacho.
12. *Both* Hilton *and* Harris querían saber quién era el criminal.
13. Yo creía que algo terrible *was to* ocurrir.
14. No *longer* están en la escena.

III. Preguntas.
1. Describa usted el saloncito de la casa de los Barrington.
2. ¿Pudo hallar otra persona en la casa el señor Hilton?
3. ¿Por qué se detuvo horrorizado Hilton?
4. ¿Dónde estaba una pitillera de plata? ¿Quién la escondió?
5. ¿Quién entró sigilosamente mientras que Hilton registró la casa?
6. ¿Por dónde debió escapar el criminal?
7. ¿Cuándo había salido Fred Sullivan?
8. ¿A quiénes necesitan buscar la policía?
9. ¿Qué quería Hilton que Barrington le dijese?
10. ¿Cuándo se presentó Barrington en el despacho de Hilton?
11. ¿Cuándo se conocieron Carlota y Barrington? ¿Cuándo se casaron?
12. ¿Quiénes sabían que Hilton vendría esa noche?
13. ¿Por qué no se casaron Carlota y Charlie en seguida?
14. ¿Quiénes habían muerto?

Learn this vocabulary before you read pages 23-32.

aborrecer to hate	**huerta** vegetable garden
abrazar to embrace	**maldecir** to curse
aliviar to relieve	**maleta** suitcase
culto, -a well-educated	**molesto, -a** bothersome, annoy-
delicioso, -a delightful	ing
desgraciado, -a wretched	**nidito** little nest
disimular to conceal, hide	**novedad** *f.* trouble
enamorado, -a de in love with	**ocuparse de** to attend to
envidiar to envy	**preocuparse (por)** to worry
	(about)

CARLOTA. ¡Charlie! ¡Charlie! (*Y al encenderse la luz, que tiene un matiz[1] distinto a la luz anterior, ya no están ni Hilton ni Barrington. En su lugar vemos a Carlota, que, cerca de la puerta, sigue llamando a su marido mientras se quita el abrigo de viaje y el sombrero que lleva puesto.*)[2] ¡Charlie! ¡Charlie! Pero ¿por qué no subes? 5
Vamos, déjalos a ellos que se ocupen del equipaje. (*Y va hacia el piano y cierra la tapa de un golpe.*)[3] ¡Qué barbaridad! ¡Mira que les tengo dicho que el piano debe estar cerrado! ¡Pues como si nada! ¡Siempre abierto, para que se llenen las teclas[4] de polvo! (*Y su tono ligero, femenino y dulce, lo cambia por otro dramático,* 10 *para continuar.*) ¡Es ese polvo horrible en que todos nos tenemos que convertir! (*Y vuelve a su tono ligero mientras va a la puerta.*) ¡Pero Charlie! ¿Qué haces?

VOZ DE BARRINGTON. Ya subo, Carlota. (*Y entra Charlie Barrington con un abrigo distinto al que le hemos visto anteriormente.*) 15

CARLOTA. Pero ¿es que no tienes ganas de estar en tu casa junto a tu mujercita?

BARRINGTON. Claro que sí, Carlota . . . Pero estaba pagando al cochero . . .

1. tint
2. she has on
3. lid all at once
4. keys

23

CARLOTA. ¿Qué te ha costado? ¿Mucho?

BARRINGTON. Dos chelines[5] con siete peniques.[6]

CARLOTA. (*Con dureza, que desconcierta a Barrington.*) ¡Qué atrocidad! Pues te han estafado,[7] querido ... ¡Mira que dos che-
5 lines con siete peniques sólo por una carrera[8] desde la estación! Claro está que ha debido de notar que somos unos recién casados y por eso abusa. ¡Dos chelines con siete peniques! ... Si mi padrino,[9] el pobre, viviese, ya le hubiera bajado del pescante a bastonazos,[10] porque con el dinero no toleraba bromas ... Y tú debes
10 ser igual que[11] mi padrino, Charlie ... ¿Verdad que me lo prometes? ...

BARRINGTON. Sí, claro ... Pero como está lloviendo tanto, por no discutir en la calle ...

CARLOTA. (*Vuelve a su tono dulce y sencillo.*) Bueno, dejemos
15 eso y hablemos de nosotros y de nuestra felicidad ... ¡Estoy tan contenta, Charlie ...! ¿Qué te parece nuestro nidito? ¿Te gusta?

BARRINGTON. Mucho, sí ...

CARLOTA. La casa no es grande, desde luego, y está quizá un poco abandonada ... Pero ya la iremos arreglando entre los dos
20 para que quede a nuestro gusto ... Dime una cosa ... ¿Qué te ha parecido Velda Manning?

BARRINGTON. ¿Es esa mujer que estaba abajo?

CARLOTA. Sí, claro, la misma ... Se ha quemado la cara hace un mes y su presencia[12] no resulta demasiado agradable ... Pero
25 ya verás cómo es de simpática ... ¡Ah! ¡Aquí está! (*Y por la puerta de la derecha, enlutada,[13] entra Velda Manning con una maleta. Lleva en la cara un esparadrapo,[14] lo que le da un aire inquietante. Es seca y extraña.*)

VELDA. Ahora sube[15] mi marido las maletas que faltan, señora.

30 CARLOTA. Muchas gracias, Velda. Mira, Charlie, voy a presentarte a la señora Manning, nuestra cocinera, ama de llaves y per-

5. shillings	11. just like
6. pence	12. face
7. overcharged	13. dressed in mourning
8. ride	14. court plaster
9. godfather	15. brings up
10. knocked him out of the coach-box seat with his cane	

sona de confianza, en una palabra . . . Está casada con John Manning, que es el que cuida del jardín y la huerta.

BARRINGTON. Mucho gusto, señora Manning . . .

VELDA. Lo mismo digo, señor . . .

CARLOTA. ¿Verdad, Velda, que es delicioso míster Barrington? 5

VELDA. Quizá sea delicioso para la señora, pero yo suponía que era más alto . . .

CARLOTA. (*Nerviosa y agria.*)[16] Y ¿por qué iba a ser más alto? ¡Vamos, conteste!

VELDA. (*En el mismo tono.*) No sé por qué, pero me había 10 hecho la ilusión de[17] que era más alto. Y le encuentro muy bajo, señora.

CARLOTA. (*Desafiante.*)[18] Y al fin y al cabo,[19] a usted ¿qué más le da,[20] señora Manning? ¡Es mi esposo y no el suyo!

VELDA. (*Con energía*). Me da lo mismo,[21] pero le encuentro 15 bajo, y basta, señora Barrington . . . Y si el padrino de la señora viviese todavía, no sólo le hubiese encontrado bajo, sino más bien enano . . .[22] (*Y se mete en la alcoba para dejar la maleta que lleva. Barrington está desconcertado y Carlota le dice dulcemente.*)

CARLOTA. No debes hacerle caso, querido . . . Siempre le gusta 20 discutir por cosas banales y sin importancia . . . Pero en el fondo es buena y terminará tomándote cariño.

BARRINGTON. Eso espero, Carlota . . . (*Y ahora, también por la puerta de la derecha, entra John Manning, que es un hombre feo y extraño y que trae el resto del equipaje.*) 25

JOHN. ¿Dejo esto aquí, señora Barrington?

CARLOTA. Sí, John . . . Puede usted dejarlo donde quiera . . . (*A Charlie.*) Este es John, el marido de Velda, honrado y fiel a carta cabal . . .[23]

BARRINGTON. Me alegro de conocerle, señor Manning. 30

JOHN. Yo también me alegro, señor.

BARRINGTON. Gracias.

16. disagreeable
17. I had imagined
18. Challenging
19. after all
20. what difference does it make to you
21. It is all the same to me
22. dwarfish
23. in every respect

JOHN.   Pero mi alegría sería mayor si no se apoyase en el piano, ya que podría romper el jarrón[24] que hay encima y que era el predilecto[25] de míster Powell . . .

CARLOTA.   (*Furiosa.*) Pero ¿qué importa, John? ¿A qué men-
5 cionar tanto a míster Powell?

JOHN.   (*Furioso también.*) ¡Importa mucho, señora Barrington! . . . ¡Su padrino le tenía un gran cariño a esa porcelana!

CARLOTA.   ¡Dejémonos de tantas discusiones! Anda, Charlie, asómate a la alcoba a ver qué te parece . . . (*Y le coge del brazo y*
10 *le acompaña hasta la puerta.*)

BARRINGTON.   ¿No tiene ventanas ni balcón?

CARLOTA.   No, la alcoba es interior.

BARRINGTON.   Quizá por ello resulte un poco triste.

CARLOTA.   (*Irritada.*) ¿Qué dices? ¿Cómo puede parecerte triste
15 la habitación en que hemos de compartir[26] nuestra felicidad? No me gusta que digas eso, Charlie . . . Tus palabras me hacen muy desgraciada . . . ¡No me gusta que digas eso!

BARRINGTON.   Te ruego me disculpes, Carlota.

CARLOTA.   (*Melancólica.*) Te parece triste porque hace mal
20 tiempo y hemos llegado de noche a causa del retraso del tren, y de la farmacia sube ese horrible olor a ácido fénico . . . [27] (*Y cambia de tono y se dirige alegre a John.*) ¡A propósito! ¿Y Fred? ¿Se ha marchado ya Fred?

JOHN.   No. Míster Sullivan todavía está en la farmacia esperán-
25 dola. (*Y Carlota se asoma a la escalera de caracol y llama, mientras John hace mutis por la alcoba con el equipaje.*)

CARLOTA.   ¡Fred! ¡Fred! ¿Quiere usted subir? (*Y se dirige a Barrington.*) Fred Sullivan es el mancebo de botica, ¿sabes? Un muchacho utilísimo, inteligente y culto, que se queda al frente de
30 la farmacia cuando yo me voy fuera . . . Es joven y guapo y hubo una época en que estuvo enamorado de mí . . . Pero ya pasó todo, claro . . . Cosas de chiquillos . . . Ahora está enamorado de miss Margaret, mi mejor amiga. (*Velda Manning sale de la alcoba.*)

VELDA.   ¿Voy destapando[28] la cama, señora?

24. vase
25. favorite
26. share

27. carbolic
28. uncovering

CARLOTA. Sí, claro ... (*A Charlie.*) ¿Te parece bien que la destape?

BARRINGTON. ¿Cómo puede parecerme mal? Una vez que estamos casados ...

VELDA. He puesto la misma ropa que usó la señora en su primera boda. La bordada con cenefa[29] azul ...

CARLOTA. ¿No te importa, Charlie?

BARRINGTON. No. En absoluto.

VELDA. Bien. La iré destapando. (*Velda Manning vuelve a hacer mutis por la alcoba al mismo tiempo que por la escalera de caracol aparece Fred Sullivan, un muchacho joven y simpático.*)

FRED. Perdóneme, misis Barrington ... Estaba terminando de hacer el balance de los ingresos del día de hoy.[30]

CARLOTA. No se preocupe, Fred ... Le voy a presentar a mi marido, míster Barrington ...

FRED. Encantado, señor ... Desde este momento me tiene a sus órdenes ...

BARRINGTON. Muchas gracias ...

FRED. ¿Han hecho ustedes un buen viaje?

CARLOTA. El tren ha llegado con retraso.

BARRINGTON. Tenemos muy mal tiempo estos días ...

CARLOTA. La humedad relativa del aire es de noventa por ciento aproximadamente ...[31]

FRED. El barómetro, sin embargo, empieza a subir ... (*Y Fred se ríe de pronto, con una sonrisa histérica y chillona.*)[32]

CARLOTA. ¿De qué se ríe, Fred?

FRED. Parecía que hablábamos como empleando un manual de conversación. «Tenemos muy mal tiempo estos días.» «El tren ha llegado con retraso.» «El barómetro empieza a subir.» ¿No es verdad, señor?

BARRINGTON. Sí, en efecto.

FRED. A veces es muy corriente hablar así, sin que se dé uno cuenta.

29. embroidered border
30. receipts of the day

31. per cent approximately
32. harsh

CARLOTA. (*Pensativa y con tono trágico.*) Por desgracia, en la vida siempre se habla así. Un día y otro día y otro día . . .

BARRINGTON.   ¿Por qué dices eso, querida?

CARLOTA.   No, por nada. ¿Ha habido alguna novedad, Fred?

5 FRED.   Ninguna, señora Barrington. A no ser que[33] la venta ha subido a causa de la epidemia de difteria . . .

CARLOTA.   Bien, Fred . . . Pues deje usted todo bien cerrado y ya mañana empezaré yo a ocuparme de los asuntos que tengamos pendientes . . .

10 FRED.   ¿No mandan ustedes otra cosa?

CARLOTA.   No. Muchas gracias.

FRED.   Celebro mucho conocerle, míster Barrington . . . Y téngame siempre por[34] un servidor . . . Que pasen ustedes una buena noche . . .

15 BARRINGTON.   Adiós, Fred. (*Y Fred hace mutis por la escalera de caracol, al mismo tiempo que sale de la alcoba Velda seguida de John.*)

CARLOTA.   Es simpático, ¿verdad?

BARRINGTON.   Mucho . . . Muy alegre . . .

20 VELDA.   (*Por Fred.*) ¡Condenado hipócrita!

CARLOTA   (*Indignada.*)[35] ¡Calle usted, Velda! ¡No me gusta que haga comentarios en voz baja! Y pueden retirarse cuando gusten . . .

VELDA.   Perdón, señora . . . He preparado cena por si los se-
25 ñores tenían apetito.

CARLOTA.   ¿Tienes hambre, Charlie?

BARRINGTON.   (*A Barrington, con estas escenas que presencia, se le han quitado las ganas de comer.*) No. Ninguna.

CARLOTA.   En el tren me dijiste que traías apetito . . .

30 BARRINGTON.   Sí . . . Pero no sé por qué, se me ha ido quitando poco a poco . . .

CARLOTA.   A mí me pasa igual.[36] Pero si te parece podemos tomar una taza de té.

33. Unless
34. consider me always

35. Indignant
36. It makes no difference to me

VELDA. Lo tengo dispuesto.

CARLOTA. Pues vaya usted subiéndolo, señora Manning.

VELDA. En seguida, señora Barrington.

JOHN. ¿La señora necesita algo más de mí?

CARLOTA. Nada, John. Muchas gracias.   5

JOHN. No me encuentro bien y voy a acostarme.

CARLOTA.—¿Qué le ocurre?

JOHN. Lo de siempre,³⁷ señora. El corazón.

CARLOTA. Lo siento; no será nada...

JOHN. Eso espero... Que los señores pasen una buena 10 noche...

BARRINGTON. Gracias... (*Y John hace mutis por la puerta de la derecha. Hay un momento de silencio embarazoso.*)³⁸

CARLOTA. Bueno, pues si te quieres arreglar un poco...

BARRINGTON. No es necesario... Ya me arreglé en el tren... 15

CARLOTA. ¿Estás disgustado, Charlie?

BARRINGTON. No estoy disgustado, pero sí me molesta el tono que emplean tus criados para hablar conmigo. ¿Crees que es agradable la manera que han tenido de recibirme? ¿Y a qué viene eso de³⁹ recordar tanto a tu padrino?   20

CARLOTA. Adoraban a míster Powell, Charlie. Y como saben que él se oponía a nuestro matrimonio, te tienen un poco de manía.⁴⁰ Pero no debes hacerles caso y pensar sólo en mí, que es con quien te has casado y con quien vas a ser muy feliz; estoy segura. ¿No opinas tú lo mismo?   25

BARRINGTON. Sí, desde luego... Pero esas estúpidas impertinencias...

CARLOTA. Olvida ya eso y hablemos de la casa... ¿Te gusta o no?

BARRINGTON. Sí. Ya te lo he dicho.   30

CARLOTA. Con todos sus defectos, yo la tengo cariño.⁴¹ Ahí, en nuestra alcoba, murieron mis abuelos y mis padres...; no al mismo tiempo, como comprenderás.... Primero unos y después los otros.

---

37. The same old thing
38. embarrassing
39. what's all that about

40. they are a little angry with you
41. I am fond of it

BARRINGTON. ¿Y tu anterior marido?

CARLOTA. También, claro . . . ¿Dónde iba a morir? En la misma cama en que tendremos que morir nosotros . . . Tú y yo . . . ,o yo y tú . . . ¿Quieres irte a acostar?

5 BARRINGTON. No, no . . . Aún es pronto . . .

CARLOTA. Pero te noto un poco tristoncete,[42] *darling.*

BARRINGTON. (*Tratando de disimular sus impresiones.*) ¿Triste yo? En absoluto . . . ¡Estoy encantado de la vida!

CARLOTA. Yo también lo estoy . . . ¡Y con unas ganas de hacerte 10 cariñines . . .![43]

BARRINGTON. De todos modos, y no es por nada, pero creo que hemos debido pasar la noche de bodas en cualquier otro sitio.

CARLOTA. (*Molesta.*) ¿Por qué en otro sitio? Aborrezco los hoteles, Charlie, y les tengo miedo, porque en los hoteles suelen 15 cometerse asesinatos . . . En cambio aquí . . . Debes comprender que ésta es mi casa y aquí tengo mis comodidades . . .

BARRINGTON. Pero también tienes tus recuerdos . . .

CARLOTA. No debes preocuparte por eso, cariño.[44] Los recuerdos no me interesan lo más mínimo . . . (*Y añade en tono trágico.*) 20 Es más, Charlie: los maldigo con toda mi alma . . .

BARRINGTON. ¿Cómo dices? (*Y en este momento entra Velda Manning, por la derecha, con un servicio de té en las manos.*)

VELDA. Perdón, señora . . . Miss Margaret está abajo . . . Quería pedir algo a la señora, pero no se atreve a subir . . .

25 CARLOTA. (*Alegre.*) Pero ¿por qué? ¡Mira que es tontería! (*Y va hacia la puerta.*) ¡Margaret! ¡Margaret! ¡Sube, querida!

VOZ DE MARGARET. ¿No te molesto?

CARLOTA. ¡Qué vas a molestarme!

VOZ DE MARGARET. Subo entonces, Carlota . . .

30 VELDA. ¿Dejo el té aquí?

CARLOTA. Sí; pero no se marche, para que acompañe a la señorita cuando se vaya, y así cierra de paso la puerta de la calle . . .

VELDA. Está bien, señora . . . Esperaré abajo . . . Buenas noches

42. melancholy   43. to caress you a little   44. dear

... (*Y entra Miss Margaret, una joven nerviosa. Va hacia Carlota, a quien abraza. Y Velda hace mutis.*)

MARGARET. ¡Carlota! ¡Discúlpame!

CARLOTA. ¡Margaret! ¡Querida!

MARGARET. Tienes que perdonar que te haya molestado, pero he vuelto de la oficina y la farmacia está ya cerrada ... Y tengo una jaqueca terrible de verdad ... ¡De verdad, terrible, te lo aseguro! ... ¡Pocas veces he tenido una jaqueca tan terrible como tengo hoy!...

CARLOTA. No te preocupes ... Ahora te daré esas píldoras[45] que tanto te alivian y que tengo aquí precisamente. (*Señala el mueble* secrétaire.) ¡Ah! Pero antes te voy a presentar a mi marido, Charlie Barrington ...

MARGARET. ¡Oh, mucho gusto, míster Barrington! Me había hecho mucha ilusión de conocerle ... ¡Carlota me había hablado tanto de usted...!

BARRINGTON. Encantado, señorita ...

MARGARET. No sé cómo disculparme por venir a horas tan inoportunas ... Pero mi jaqueca es capaz de saltar por todos los perjuicios[46] sociales ... Mucho gusto, míster Barrington.

BARRINGTON. Encantado ...

CARLOTA. Margaret es mi mejor amiga, Charlie ... Es la hija del doctor Wats, nuestro médico de cabecera.[47] ¿Qué tal tu padre?

MARGARET. Del pobre nunca se puede decir que esté mal ni que esté bien ... Su corazón le hace sufrir constantemente y siempre nos hace temer algún disgusto ... Pero él sale y entra y no cesa de ver a todos los enfermos que solicitan sus servicios ... ¡Oh, vuelvo a pedirle mil excusas, míster Barrington! Entrar aquí, en una noche de bodas como ésta, es realmente inaudito ... ¡Pero estas terribles jaquecas que padezco ...! Mucho gusto, míster Barrington.

BARRINGTON. Encantado.

MARGARET. (*A Carlota, que ha estado buscando el medicamento.*) Ya puedes estar contenta, Carlota ... Míster Barrington parece un perfecto caballero.

CARLOTA. Lo es, en efecto ...

45. pills   46. prejudices   47. family doctor

MARGARET. Tú siempre has tenido suerte, Carlota . . . Primero míster Smith . . . Ahora este otro señor tan simpático . . . Que siga la racha,[48] querida . . .

CARLOTA. Por favor, Margaret . . .

5 MARGARET. ¡Oh! Perdóname, pero no sé siquiera lo que digo . . . Te envidio, Carlota . . . Tienes suerte . . .

CARLOTA. ¿Y tú no?

MARGARET. ¿Yo suerte? . . . ¡Siempre con mis jaquecas cada vez más terribles, que me atormentan noche y día y que a veces 10 creo que van a volverme loca! . . .[49] ¡Loca! . . . ¡Loca! . . .

CARLOTA. Todo se te pasará[50] cuando te cases . . .

MARGARET. ¿Casarme yo? ¡No! ¡No digas eso! . . .

CARLOTA. ¿Por qué no?

MARGARET. ¡Porque nunca lo haré! ¡Nunca! Lo sabes bien . . . 15 ¡Aborrezco a los hombres! . . . ¡No los quiero! ¡No los necesito!

CARLOTA. Bueno, guapa; toma tus píldoras y no digas mentiras, porque ya sabemos que Fred, el mancebo, te gusta a rabiar . . .[51]

MARGARET. ¿Que me gusta Fred Sullivan? ¿Ese jovenzuelo[52] estúpido puede gustarme a mí? Pero ¿usted oye, míster Barrington? 20 BARRINGTON. Sí, claro . . .

MARGARET. ¡Oh! ¡Perdóneme que haya entrado aquí! Pero este dolor de cabeza que hace que mis sienes estallen . . .[53] Me voy a casa antes de que venga papá de sus consultas . . . Dame un beso, Carlota . . . Que seas feliz . . . Adiós . . . Te agradezco tus píldoras 25 . . . Adiós . . . (*Y va hacia la puerta.*)

CARLOTA. ¿No te despides de mi marido?

MARGARET. Encantada, míster Barrington . . . Le deseo mucha suerte en esta casa, al lado de Carlota . . . Buenas noches . . ., buenas noches . . . (*Y cuando Margaret ha hecho mutis, Carlota cierra la* 30 *puerta con pestillo.*)

48. streak of luck
49. drive me crazy
50. will turn out well for you
51. you like madly
52. youngster
53. temples burst

Carlota

33

EXERCISES

I. Translate the following sentences noting especially the idioms in italics.

1. ¿Qué *te parece* esta broma?
2. ¿*Tiene usted ganas de* tomar una taza de té?
3. Juan tolera el clima *igual que* su padrino.
4. No *sólo* le encuentro bajo *sino más bien* enano.
5. *Me alegro de* que él sea honrado.
6. ¿*Qué importa* que dejó el jarrón encima del piano?
7. ¿*A qué* tenía tanto cariño a esa porcelana?
8. Velda *volvió a hacer* mutis por la derecha.
9. *De pronto* empezó a sonreír.
10. No es necesario mandar *otra cosa*.
11. ¿*Traía apetito*? No, le habían quitado ganas de comer.
12. *En seguida*, presenció una escena trágica.
13. Pero *sí* me molesto su tono de disgusto.
14. *De todos modos*, debemos pasar la noche de bodas en cualquier otro sitio.
15. ¿*Qué tal* tu padre?
16. No ha *tenido tanta suerte* Margaret como Carlota.
17. Tenía jaquecas *cada vez más terribles*.

II. Preguntas.

1. ¿Cuánto le pagó al cochero el señor Barrington?
2. ¿Quién es Velda Manning?
3. ¿Qué lleva Velda Manning en la cara?
4. ¿Qué hace John Manning?
5. ¿Qué le parece a Velda el señor Barrington?
6. ¿Cómo es John Manning? ¿Qué tiene él?
7. ¿En qué parte de la vivienda está la alcoba?
8. ¿Quién es Fred Sullivan, y cómo es?
9. ¿Qué clase de tiempo hacía?
10. ¿Por qué han subido las ventas en la farmacia?
11. ¿Qué le disgusta al señor Barrington?
12. ¿En dónde murieron los abuelos y los padres de Carlota?
13. ¿Por qué vino Margaret a la vivienda de Carlota?
14. ¿Pueden ver al doctor Wats los enfermos que le soliciten?
15. ¿Por qué no va a casarse Margaret?

Learn this vocabulary before you read pages 34-41.

aburrirse to get bored
aceite *m.* (olive) oil
cambiarse de (ropa) to change
  (clothes)
cenar to eat supper
¿Cómo que no? Of course! certainly!
contrariar to oppose
distraído, -a absent-minded

heredera heiress
menos except
pensativo, -a thoughtful
ponerse to put on
rabioso, -a raging
sudor *m.* sweat
tener cuidado to be careful
trasladar to move

CARLOTA. ¡Al fin solos, Charlie! Voy a cerrar la puerta con pestillo para que no nos moleste nadie . . . ¡Qué ganas tenía de que llegase este momento! . . . ¿En qué piensas?

BARRINGTON. No, en nada . . .

5 CARLOTA. ¿Qué te ha parecido Margaret?

BARRINGTON. Vaya . . .

CARLOTA. Un poquito histérica, ¿verdad?

BARRINGTON. Lo corriente.

CARLOTA. Pues ya conoces a todos los que me rodean . . . Velda,
10 John, Fred y mi íntima amiga Margaret Wats . . . Estos son los que verás siempre cerca de mí . . . ¿No te defrauda todo esto?

BARRINGTON. ¡Qué tontería!

CARLOTA. ¿No te aburrirás?

BARRINGTON. ¿Por qué voy a aburrirme?

15 CARLOTA. Ellos y yo casi siempre hablamos igual y de las mismas cosas . . . Margaret, como has visto, da a entender[1] que aborrece a los hombres, pero la verdad es que se vuelve loca por ellos . . . Ahora está enamorada de Fred Sullivan . . .

BARRINGTON. ¿Y él de ella?

1. claims

34

CARLOTA. Claro que sí ... Fred es listo[2] y ambicioso y ella tiene dinero ...

BARRINGTON. ¿Por qué trabaja entonces en una oficina?

CARLOTA. Para salir de casa y tener libertad ...

BARRINGTON. Y dime una cosa ... ¿Con qué se quemó la cara 5 la señora Manning?

CARLOTA. Un día se disgustó conmigo y, de rabiosa que se puso, se echó aceite hirviendo[3] en la cara. Tiene mucho amor propio,[4] ¿sabes? Y en cuanto se le dice algo que no le gusta, se echa aceite hirviendo por algún sitio ... Por eso tú no debes tratarla mal, 10 Charlie ... ¿Verdad que no lo harás?

BARRINGTON. No. Desde luego.

CARLOTA. Anda, vamos a tomar un poco de té, que nos sentará[5] divinamente después de tantas emociones ... A mí hay pocas cosas que me gusten tanto como el té ... Y me acuerdo que un día, hace 15 ya varios años, estando de compras con unas amigas, una de las cuales se llamaba ..., se llamaba ... (*Estaba sirviendo el té con la tetera,[6] y de pronto se interrumpe su ademán y su párrafo[7] y se queda pensativa, mirando fijamente a no se sabe qué lugar lejano.*)

BARRINGTON. (*Extrañado.*) ¿Qué te pasa? (*Pero Carlota no* 20 *parece oírle.*) ¿En qué piensas? (*Y Carlota continúa igual.[8] Barrington grita:*) ¡Carlota! (*Y Carlota vuelve a la normalidad, tranquilamente.*)

CARLOTA. ¿Eh? ¡Ah, sí! Estaba distraída ... Perdona ... Dime ... ¿Me quieres mucho? 25

BARRINGTON. Ya sabes que sí ...

CARLOTA. ¡Hay que ver! ¡Quién iba a decir cuando nos conocimos, hace cinco años, que nos íbamos a casar! ...

BARRINGTON. ¡Bien has tardado en decidirte! ...

CARLOTA. Ya sabes los motivos, Charlie ... Primero mi viudez, 30 después la oposición de mi padrino ...

BARRINGTON. De todos modos han sido unas relaciones demasiado largas.

2. clever
3. boiling
4. self

5. will agree with us
6. teapot

7. paragraph
8. the same

CARLOTA.   ¡Ha sido necesario arreglar tantas cosas! . . . ¡Tantas
y tantas cosas! . . . Entre ellas que te trasladasen a ti a Londres.
Y ya ves que no sólo hemos conseguido ese traslado,[9] sino que tu
empleo sea en la sucursal del Banco más próximo a la casa . . .
5 Dime, Charlie . . . ¿Te molesta que haya dejado aquí el retrato de
mi primer marido? (*Y señala uno, colgado en la pared.*) Es aquel
señor . . .

BARRINGTON.   No. No tiene importancia.

CARLOTA.   ¡Era un hombre tan bueno, que me ha dado pena[10]
10 quitarlo! ¡Pobre señor Smith!

BARRINGTON.   ¿De qué murió?

CARLOTA.   Del corazón, el pobre . . .

BARRINGTON.   Como tu padrino.

CARLOTA.   Sí. Igualito . . .[11] ¿No tomas el té?

15 BARRINGTON.   No. Gracias.

CARLOTA.   ¿Estás emocionado?[12]

BARRINGTON.   Quizá un poco. Ten en cuenta[13] que tú ya te has
casado una vez y yo es la primera que lo hago . . . No tengo
costumbre . . .

20 CARLOTA.   Es verdad, pobrecillo . . . No había caído en[14] eso . . .
Pues ya verás qué fácil es . . . ¡Y ahora que me acuerdo, voy a ver
si he dejado encendida la luz de la farmacia, porque resulta que
una noche, una noche . . .! (*Va hacia la escalera de caracol y de
pronto se detiene, y de nuevo queda callada y quieta, con una
25 mirada ausente.*)

BARRINGTON.   ¿Pero qué te pasa? ¡Carlota! ¡Carlota!

CARLOTA.   (*Volviendo a la normalidad.*) No te preocupes . . .
A veces me distraigo y me quedo callada cinco o diez minutos, y
a veces hasta media hora . . . Antes me ocurría con más frecuencia,
30 ¿sabes? Pero mi difunto[15] se acostumbró y ya no me hacía caso
y me dejaba en paz . . . Bueno, estoy cansada y tengo sueño . . .
Si no te importa, voy a irme cambiando . . . Con tu permiso,
darling . . . (*Y entra en la alcoba. Barrington curiosea[16] por la
habitación. Mira hacia abajo, por la escalera de caracol. Y en un*

---

9. transfer   12. shocked   15. deceased (husband)
10. it has pained me   13. Keep in mind   16. looks curiously
11. Quite the same   14. realized

momento dado, se va oscureciendo la escena hasta quedar casi sin luz. Barrington se asusta aún más de lo que está.)

BARRINGTON.   ¡Carlota! ¿Qué pasa con la luz?

CARLOTA.   (*Dentro.*) ¡Ah! No hagas caso ... Es muy frecuente aquí, cuando hay tormenta o llueve. (*Y la luz va volviendo.*) ¿Ves? 5 ¡Ya ha vuelto otra vez! ...

BARRINGTON.   Sí ... Menos mal ... (*Y se detiene ante otro de los retratos que hay colgados en la pared.*) ¿De quién es este retrato que hay colgado a la derecha?

CARLOTA.   (*Dentro.*) De míster Powell, mi padrino.   10

BARRINGTON.   ¿Vivía aquí contigo?

CARLOTA.   No. En la misma calle, tres casas más abajo. Pero siempre almorzaba y cenaba conmigo, y menos dormir, puede decirse que se pasaba el día en casa ... No olvides que para mí era como un padre y que los dos nos queríamos muchísimo ... (*Y sale* 15 *poniéndose una sencilla bata.*)[17] Bueno, ya estoy ... Cámbiate tú si quieres ... Es ya un poco tarde, cariño ...

BARRINGTON.   Sí. Voy ..

CARLOTA.   ¿Un beso?

BARRINGTON.   Sí. Un beso ... (*Y Barrington entra en la alcoba.* 20 *Y Carlota habla en voz alta, en esa dirección, mientras pasea por el gabinete, y en un momento dado se detiene ante el* secrétaire.)

CARLOTA.   ¡Ay! ¡Qué tranquila estoy después de haberme casado y haber salido de todo esto! ... ¡Otra vez en casa, acompañada de mi maridito! ¡Me sentía tan sola, tan sola! ... (*Y del mueble saca* 25 *un revólver, que revisa.*)[18] A veces aquí tengo miedo, te lo aseguro ... No por los criados, que son buenos, ni por Fred, el mancebo, que es un infeliz, sino por el barrio, que está lejos, y por la niebla, y por la gente extraña que entra en la farmacia, como aquel jorobado que entró una noche ..., una noche ... (*Ya ha dejado el revólver* 30 *donde estaba y ahora vuelve a quedarse callada y ausente. Barrington sale de la alcoba y la observa inquieto.*)[19]

BARRINGTON.   ¿Otra vez, Carlota?

CARLOTA.   Perdóname, querido ... Procuraré que no pase más ... ¡Ah! ¿No te he dicho que sé tocar el piano? Mira, ven ... 35

17. dressing gown   18. examines   19. anxiously

Escucha cómo toco. Una cosa alegre. ¿Te parece? (*Y empieza a tocar «El pequeño vals» mientras habla.*) ¿Ves qué bien? Y es que estoy contenta . . . ¡Más contenta! (*Y se echa a llorar, acongojada.*)[20]

5 BARRINGTON. Por Dios, Carlota . . . Dime lo que te ocurre . . .

CARLOTA. No es nada, Charlie . . Quiero disimular mis nervios y no puedo. He querido hacerme fuerte durante la ceremonia y el viaje y la llegada a casa, pero son demasiadas emociones seguidas[21] . . .

10 BARRINGTON. Lo comprendo perfectamente, querida . . . Vamos, cálmate . . . Ya sabía yo que algo raro te sucedía, y no podía ser otra cosa que los nervios y la emoción . . . (*La abraza.*) ¡Mi pobre Carlota!

CARLOTA. ¡Te quiero, Charlie! . . . ¡Te necesito! ¡Tú no sabes 15 bien el cariño que yo te tengo! . . .

BARRINGTON. (*Con cierto tono de reproche.*) En realidad no lo has demostrado . . .

CARLOTA. ¿Cómo que no? ¿Pero aún puedes dudar de que te quiero?

20 BARRINGTON. Pues, sí, Carlota . . . Ahora que ya estamos casados te confieso que sí, que lo dudaba y que lo dudo todavía . . . Yo quise casarme contigo en seguida, y ya ves . . . He debido esperar cinco largos años.

CARLOTA. ¡Pero mi padrino se oponía!

25 BARRINGTON. ¡Y qué importaba tu padrino! ¡Eras libre y podías hacer lo que quisieras! . . .

CARLOTA. No. Mientras él viviese no podía desobedecerle. Y él se negaba en rotundo[22] a que me volviese a casar, no sé por qué razones . . .

30 BARRINGTON. (*Humilde y sincero; con pena.*) A veces pienso que todo eso es mentira, Carlota. Que la verdadera razón es que tú eres rica y tienes un negocio en marcha[23] y una casa, y que te parecía poco un hombre como yo que sólo cuenta con un modesto empleo. Y que si al fin te has casado, ha sido por compromiso, o 35 por lástima, pero sin quererme de verdad.

20. grieved
21. in succession

22. absolutely
23. prosperous

CARLOTA. ¿Es cierto que has pensado eso?

BARRINGTON. Sí. Lo he pensado y lo pienso. Y te aseguro que no soy del todo feliz ...

CARLOTA. ¿Y si yo te dijera algo que te demostrara adónde llega mi cariño? Algo que jamás podré decir a nadie, y que a ti puede 5 convencerte de mi amor ...

BARRINGTON. ¿Qué es?

CARLOTA. No. Déjalo ... ¡Qué importa lo que sea! ...

BARRINGTON. Te suplico que me lo digas.

CARLOTA. ¿De verdad?   10

BARRINGTON. Sí, claro ...

CARLOTA. Pues bien. Tú sabes que yo era la única heredera de mi padrino. Pero ignoras que míster Powell me amenazó con desheredarme si me casaba contigo y dejarle todo el dinero a Velda Manning.   15

BARRINGTON. ¿A Velda Manning?

CARLOTA. Sí. A Velda Manning.

BARRINGTON. Bien. ¿Y qué más?

CARLOTA. ¿Aún no lo comprendes? Yo no quería perder el dinero de mi padrino y tuve que prometerle no casarme, mientras 20 él viviese. Pero como yo me quería casar, adelanté su muerte ... Míster Powell no murió del corazón ... Fui yo quien le mató, envenenándole ...[24]

BARRINGTON. Pero ¿qué dices?

CARLOTA. Lo que oyes.   25

BARRINGTON. (*Aterrado.*)[25] Pero ¡eso no puede ser verdad! ...

CARLOTA. Sí, Charlie ... Desgraciadamente sí lo es, y a veces tengo remordimientos,[26] porque comprendo que aquello estuvo feo. Pero alguna cosa había que hacer para ser nosotros felices.

BARRINGTON. No puedo creerlo ... Dime que no estás hablando 30 en serio ...

CARLOTA. Pues claro que hablo en serio, Charlie ... ¿Es que no te gusta lo que te he dicho?

BARRINGTON. Pero ¿cómo me va a gustar una cosa así?

24. poisoning him   25. Terrified   26. remorse

CARLOTA. No tenía muy buena salud y yo no podía esperar tanto tiempo para casarme contigo. Y te quería ...

BARRINGTON. ¿Y cómo ...?

CARLOTA. ¿Cómo le maté? ...

5 BARRINGTON. Sí.

CARLOTA. Con veneno.[27] Para algo soy farmacéutica y dispongo de[28] todos los venenos que quiero ...

BARRINGTON. Pero ¡eso es una monstruosidad!

CARLOTA. ¿Encima de lo que he hecho por nuestro amor, toda-
10 vía vas a regañarme?[29]

BARRINGTON. ¡Vamos, Carlota, dime que no es verdad!

CARLOTA. ¡Tienes que creerme! ¡Lo he hecho todo por ti! ¡Y tú no sólo no me crees, sino que ni siquiera me lo agradeces!

BARRINGTON. Pero ¿cómo se te ocurrió ...?

15 CARLOTA. Mi padrino me molestaba constantemente contra-riándome en todos mis caprichos. Y entonces yo fui y le eché el veneno.

BARRINGTON. Según eso ..., ¿tú le echas veneno a todo el que te contraría?

20 CARLOTA. ¡Qué exagerado, hijo! ... Sólo lo he hecho esta vez, y porque no había más remedio.[30] Pero le fui envenenando muy poco a poco, durante las comidas, para que nadie se diese cuenta y todos creyeran que era del corazón ...

BARRINGTON. ¿Y el médico no notó nada?

25 CARLOTA. ¿Me crees tonta? Sé muy bien la clase de veneno que hay que dar para no dejar huellas.[31] Y, además, el médico que tene-mos es muy viejo ya y no entiende nada de estas cosas ...

BARRINGTON. ¿Y los criados?

CARLOTA. A veces pienso que sospechan algo y que por eso
30 emplean ese tono con nosotros ... Pero como no hay ninguna prueba, que empleen el tono que quieran. A mí, qué más me da ...

BARRINGTON. Claro, claro ...

CARLOTA. Bueno, y no hablemos más de esto, que es tarde.

27. poison
28. I have at my disposal
29. to scold me

30. there was nothing else to do
31. traces

Anda, vamos a dormir y a ser felices. (*Barrington está abrumado*[32] *y empieza a temblar.*) Pero ¿qué te pasa, querido?

BARRINGTON.   No, nada.

CARLOTA.   ¿No te encuentras bien?

BARRINGTON.   Pues mira, no ... Me encuentro regular ...   5

CARLOTA.   Supongo que lo que te he dicho habrá disipado las dudas sobre mi cariño. Y que ahora tendrás confianza en mí, como yo la he tenido en ti al confiarte este secreto.

BARRINGTON.   Sí, desde luego ... Pero, no sé lo que me pasa ... He debido de coger frío en el tren ...   10

CARLOTA.   Tengo en el cuarto un botiquín[33] completo. Te voy a dar una medicina que te sentará divinamente ...

BARRINGTON.   (*Asustadísimo.*) ¡No, gracias! ... ¡No me des medicinas! ...

CARLOTA.   Pero ¿qué te pasa? ¡También he sido yo tonta dicién- 15 dote todo esto la noche de bodas!

BARRINGTON.   ¡Tengo frío, Carlota! ...

CARLOTA.   Lo mejor será que te acuestes ...

BARRINGTON.   No. Acostarme, no ... No sé lo que me pasa. Estoy malo. Tengo escalofríos ...[34] Estoy temblando.   20

CARLOTA.   (*Le toca la frente.*) Es verdad, Charlie ... ¡Qué sudor tan frío! ¡Y además estás desencajado![35] Voy a despertar a Velda para que vaya a buscar al médico, que vive casi enfrente, y vendrá en seguida. (*Y al llegar a la puerta de la derecha se detiene y dice en otro tono.*) Charlie ...   25

BARRINGTON.   ¿Qué? ...

CARLOTA.   Que ahora que sabes todo, no olvides que esto supone una complicidad. Y que los cómplices no deben hablar nunca ... ¿Verdad que no lo harás? ¡Cuidado, Charlie, te lo ruego! (*Y hace mutis. Charlie queda tembloroso, sentado en la misma silla donde* 30 *empezó a contarle su historia a Douglas Hilton. Hay un oscuro.*[36] *Y al volver la luz con el matiz de las primeras escenas—esto es, con la luz distinta que, en el transcurso*[37] *de la obra, diferencia lo pre- sente de lo pasado—vemos a Hilton y Barrington en la misma posición que los dejamos anteriormente.*)   35

32. overwhelmed   34. chills   36. Lights are dimmed
33. medicine chest   35. looking very ill   37. course (of time)

EXERCISES

I. Translate the following idiomatic sentences into Spanish.
1. I have a headache. (three ways)
2. They are going to drive me crazy.
3. How I desired this moment to arrive!
4. What are you thinking of?
5. What's the matter with you? (two ways)
6. She has delayed in making up her mind.
7. We met one another five years ago.
8. Are you tired? I am sleepy.
9. Will you remain silent again? (three ways)
10. She starts to cry. (two ways)
11. He refused to permit me to do it. (two ways)
12. I'll try not to let it happen again.

II. Preguntas.
1. ¿Por qué cerró Carlota la puerta con pestillo?
2. ¿De quién está enamorada Margaret?
3. ¿Por qué trabaja Margaret en una oficina?
4. ¿Cómo se quemó la cara la señora Manning?
5. ¿Qué ocurrió mientras Carlota estaba sirviendo el té?
6. ¿Cuándo se conocieron el señor Barrington y Carlota?
7. ¿Por qué tardaron tanto en casarse Carlota y Barrington?
8. ¿De quiénes son los retratos en la pared?
9. ¿De qué murió el señor Smith?
10. Cuando se distrae Carlota, ¿cuánto tiempo se queda callada?
11. ¿En dónde vivió el padrino de Carlota?
12. ¿Por qué guarda Carlota un revólver en el *secrétaire*?
13. ¿Qué toca Carlota en el piano?
14. ¿Cómo murió míster Powell?

Learn this vocabulary before you read pages 43-52.

abrigar	to protect, shelter	discutir	to discuss
alfombra	carpet	garganta	throat
cansancio	weariness	herencia	inheritance
compadecer	to pity	mientras tanto	meanwhile
le conviene	it suits you	de prisa	fast
cuchara	(table)spoon	sano, -a	healthy
cuchillo	knife	tenedor *m.*	fork
desde entonces	from then on	vengarse	to get revenge

--------•◦≫►•--------

DOUGLAS. ¿Entonces dice usted que su mujer fue a avisar al médico?

BARRINGTON. No. Fue a despertar a Velda Manning para que ella le fuese a buscar.

DOUGLAS. Y dígame una cosa. Después de esta confesión de su 5 mujer, ¿cómo no fue a dar cuenta inmediatamente a la policía? Según ella le dijo se convertía usted en su cómplice...

BARRINGTON. Pero ¡yo quería a Carlota! ... Debe usted comprenderlo, míster Hilton...

DOUGLAS. ¿Está usted seguro de que la quería después de la 10 nochecita de novios que le dio?

BARRINGTON. Todo lo hizo por amor hacia mí. Para poder casarnos.

DOUGLAS. De todos modos, Carlota ha sido asesinada esta noche. Y yo le aseguro que, bien mirado,[1] de tener alguien motivos 15 para matarla, era usted mismo.

BARRINGTON. ¿Yo? ¿Cómo puede suponer una cosa así?

DOUGLAS. No, no... Ya sé que en modo alguno ha podido usted hacerlo, y que de tener esa intención no me hubiera usted llamado para presenciar el espectáculo. Pero si en mi noche de bodas mi 20 mujer me dice lo que a usted, yo le aseguro que la mato...

1. considering

43

BARRINGTON.   Yo la quería mucho . . . La compadecía . . .
(*Douglas Hilton se ha agachado*[2] *y coge un papel diminuto que
hay sobre la alfombra y que examina con su lupa.*[3])

DOUGLAS.   ¿Qué clase de papelito es éste?

5 BARRINGTON.   ¿Cuál?

DOUGLAS.   Uno insignificante, casi redondito, de color verde . . .

BARRINGTON.   ¡Ah! Será de la etiqueta[4] de algún medicamento
. . . Carlota envasaba[5] aquí algunas medicinas . . .

DOUGLAS.   (*Después de guardar el papelito.*) Bueno, continúe . . .
10 ¿Vino pronto el médico?

BARRINGTON.   Unos diez minutos más tarde.

DOUGLAS.   Y usted, naturalmente, le diría algo de lo sucedido
con Carlota.

BARRINGTON.   Traté de decírselo.

15 DOUGLAS.   Cuénteme cómo transcurrió esa entrevista . . .

BARRINGTON.   Antes debo contarle algo que sucedió mientras
tanto con John Manning . . . Un poco después de bajar Carlota a
buscar a Velda, subió John . . . (*Dándose cuenta de que Douglas
baja por la escalera de caracol.*) ¿Adónde va, Hilton?

20 DOUGLAS.   No se preocupe y siga hablando . . . Le escucho mientras investigo . . . (*Y sigue bajando la escalera de caracol. Hay un
oscuro, mientras se oye la voz de Barrington.*)

BARRINGTON.   Pues como le decía, poco tiempo después subió
John Manning . . .

25 JOHN.   ¿Se puede,[6] señor?

BARRINGTON.   Sí. Pase . . . (*Y al volver la luz vemos a John que
se dirige a Barrington. Estamos de nuevo en el pasado.*)

JOHN.   ¿Puedo ayudarle en algo, señor?

BARRINGTON.   Muchas gracias, John . . . Me he puesto un poco
30 enfermo, pero no creo que tenga importancia.

JOHN.   La señora ha dicho que suba a hacerle compañía,[7] mientras ella le hace una tisana[8] y mi mujer va a buscar al médico . . .

2. bent down	6. May I (come in)
3. magnifying glass	7. to keep you company
4. label	8. tisane (medical tea)
5. bottled	

BARRINGTON. Siento que le hayan molestado . . . Usted tampoco se encontraba bien . . .

JOHN. No es nada. Aquí estamos todos un poco delicados . . .[9] Ni el barrio ni la casa son sanos, señor . . .

BARRINGTON. (*Confidencial.*) Dígame, John . . . ¿Fue muy rápida la muerte de míster Powell, el padrino de la señora?

JOHN. (*Sorprendido.*) ¿Por qué lo pregunta, míster Barrington?

BARRINGTON. Soy un poco aprensivo y quisiera saber . . .

JOHN. Pues en efecto, fue muy rápida y nos sorprendió a todos. Claro está que también nos sorprendió la muerte de míster Smith, el primer marido de la señora . . .

BARRINGTON. ¿Ah, sí? ¿De qué murió?

JOHN. Dicen que del corazón, pero fue muy extraña su muerte. Era un hombre triste, como aburrido de todo . . . como cansado . . . De pronto, lentamente, empezó a enfermar . . .[10] y poco a poco fue extinguiéndose . . .[11] Si yo le contase lo que pienso . . . (*Entra Carlota por la puerta de la derecha con una taza en la mano.*)

CARLOTA. ¿Qué piensa usted, John?

JOHN. No, nada . . . Hablaba con el señor . . .

CARLOTA. ¿Y de qué hablaba con el señor?

BARRINGTON. De la muerte de tu anterior marido, Carlota.

CARLOTA. ¿Ah, sí? ¿Y por qué tiene usted que hablar de cosas tristes? No me gusta que hable usted de esas cosas, que pueden impresionar su corazón . . . Ande, vuélvase a acostar y yo esperaré al médico.

JOHN. Sí, señora . . .

CARLOTA. Y dentro de un rato iré a llevarle una medicina, porque no tiene usted muy buena cara[12] y un tónico le sentará muy bien . . .

JOHN. Gracias, señora . . . (*Y hace mutis por la derecha.*)

BARRINGTON. ¿Qué medicina le vas a dar, Carlota?

CARLOTA. La que le conviene, Charlie . . . El pobre está tan delicado. ¿Y tú? ¿Te encuentras ya mejor?

---

9. sickly
10. to get sick
11. dying
12. you do not look very well

BARRINGTON. Parece que se me va pasando el frío...

CARLOTA. Tómate esta taza de tila[13] que te he hecho... Te sentará muy bien... (*Barrington la coge con desconfianza, pero al mismo tiempo se escucha la voz del Doctor Wats y Carlota va* 5 *hacia la puerta.*)

CARLOTA. ¡Ah! ¡Ya está aquí el doctor!... Suba usted, doctor Wats... Estamos en la sala... (*Y Barrington aprovecha para apartar la taza de su lado mientras llega el Doctor Wats.*)

DOCTOR. Buenas noches, Carlota... ¿Pero qué ha sucedido, 10 hija mía? Velda me acaba de decir...

CARLOTA. El señor Barrington, mi marido, que se ha puesto enfermo...

DOCTOR. ¡Ah! ¿Este es el nuevo?

CARLOTA. Sí. El nuevo.

15 DOCTOR. Vaya... Esperemos que te dure más[14] que el anterior.

CARLOTA. No sé... Si sigue así...

DOCTOR. Bueno, vamos a ver.. ¿Qué le pasa a usted, hombre?

BARRINGTON. Me encuentro mal, doctor.

DOCTOR. Desde luego su aspecto no puede ser más alarmante...

20 CARLOTA. Empezó a temblar con un temblor nervioso y después tenía la frente bañada con un sudor muy frío.

DOCTOR. ¿No ha tenido otra clase de síntomas?

CARLOTA. No. Le entró[15] así, de repente...

DOCTOR. ¿No ha tenido ningún disgusto? ¿Ninguna mala no-25 ticia?

CARLOTA. No, qué va... Al contrario... Estábamos tranquilamente hablando de cosas sin importancia, y de pronto, sin venir a cuento...[16] ¿Verdad, Charlie?

BARRINGTON. Sí. En efecto...

30 DOCTOR. Bueno, vamos a ver, vamos a ver... Le miraremos antes la garganta... ¡Esta condenada epidemia!... ¿Quieres traerme una cuchara, Carlota?

13. linden-flower tea
14. longer
15. It attacked him
16. being pertinent

CARLOTA. Sí. La traigo en seguida. (*Y hace mutis por la derecha, mientras habla el Doctor.*)

DOCTOR. La cuchara le producirá náuseas . . . ¿Pero hay algo en la vida que no produzca náuseas?

BARRINGTON. (*En voz baja. Muy confidencial.*) Tengo que 5 hablar con usted, doctor . . .

DOCTOR. ¿Conmigo?

BARRINGTON. Sí. En secreto. No quiero que se entere Carlota . . .

DOCTOR. ¿Es urgente?

BARRINGTON. Mucho . . . (*Y entra Carlota con una cuchara.* 10 *Los dos disimulan*[17] *y callan.*)

CARLOTA. Aquí está la cuchara, doctor.

DOCTOR. Muy bien . . . Muy bien . . . Vamos a ver . . . ¿Quieres traer ahora un tenedor?

CARLOTA. (*Desconfiando.*) ¿Un tenedor? 15

DOCTOR. Sí. Un tenedor, pero que esté bien limpio . . . Anda. Ve a buscarlo . . .

CARLOTA. Sí. Voy a buscarlo . . . (*Y Carlota hace mutis, sin dejar de observarlos, mientras el doctor dice, campanudamente.*)[18]

DOCTOR. Según los últimos experimentos científicos, ahora es 20 más fino utilizar un tenedor que una cuchara . . . Y en el último Congreso de Viena . . . (*Y en cuanto Carlota ha desaparecido, cambia de tono.*) Hable. Dése prisa.[19]

BARRINGTON. ¿Mi mujer está bien de la cabeza?

DOCTOR. Perfectamente. 25

BARRINGTON. Usted la conoce desde pequeña, ¿no es eso?

DOCTOR. Y desde pequeña ha sido equilibrada,[20] inteligente y sana. ¿Por qué me lo pregunta?

BARRINGTON. Porque he de hacerle una confesión muy grave . . .

DOCTOR. Le escucho. (*Entra de nuevo Carlota con un tenedor.*) 30

CARLOTA. Aquí está el tenedor, doctor Wats . . .

DOCTOR. Muy bien. Muy bien . . . Ahora hazme el favor de llevarte la cuchara y traer un cuchillo.

17. pretend
18. pompously

19. Hurry
20. balanced

CARLOTA. (*Cada vez más desconfiada.*) ¿Un cuchillo?

DOCTOR. Sí. Perdona, pero se me ha olvidado traer el maletín con el instrumental . . .²¹

CARLOTA. Está bien. Traeré el cuchillo . . . ¿De comedor o de
5 esos grandes de cocina?

DOCTOR. Lo mismo da . . .

CARLOTA. Bueno. Traeré el cuchillo. (*Y hace mutis.*)

DOCTOR. ¿Qué clase de confesión era ésa?

BARRINGTON. Algo que trata de la muerte de míster Powell.

10 DOCTOR. ¡Ah, sí! ¡Pobre señor!

BARRINGTON. Y de la muerte de míster Smith . . .

DOCTOR. ¿De la muerte de míster Smith? Puesto que usted se refiere a eso, yo voy a preguntarle una cosa.

BARRINGTON. ¿Qué cosa?

15 DOCTOR. ¿Usted tiene miedo?

BARRINGTON. Un miedo terrible.

DOCTOR. ¿Por qué?

BARRINGTON. No puedo decírselo.

DOCTOR. Pues yo sí puedo decirle que también tengo mucho
20 miedo . . .

BARRINGTON. ¿De qué?

DOCTOR. De algo extraño que ocurre en esta casa . . . (*Y entra Carlota, muy de prisa, con un cuchillo.*)

CARLOTA. Aquí está el cuchillo . . ..

25 DOCTOR. Gracias, Carlota . . . Lo siento mucho, pero ahora tienes que traerme . . . (*No se le ocurre lo que pedir para que se vaya. Al fin, lo inventa.*) Ahora me vas a traer un plátano . . .²²

CARLOTA. (*Sin inmutarse.*)²³ ¿Un plátano?

DOCTOR. Sí. Es imprescindible.

30 CARLOTA. Muy bien . . . ¡Aquí está el plátano! (*Y saca un plátano de uno de los bolsillos del vestido.*)

DOCTOR. (*Desconcertado.*) ¡Ah! Gracias . . . (*Y empieza a pelar el plátano con el cuchillo.*) Tenía sed y para la sed no hay nada como el plátano . . .

21. instrument kit   22. banana   23. losing her calm

CARLOTA. Claro, claro . . . ¿Y cómo le encuentra usted, doctor?

DOCTOR. Perfectamente. Todo eso no es nada. Alguna preocupación sin importancia . . .

CARLOTA. ¿Y por qué iba a tener esa preocupación? ¿Le ha dicho él algo? 5

DOCTOR. No.

CARLOTA. Sí. Algo le ha dicho.

DOCTOR. No, mujer . . . ¿Qué quieres que me diga? Ahora lo que tiene que hacer es acostarse y que no le moleste nadie. Y mañana volveré a verle . . . 10

CARLOTA. ¿No le manda usted nada?

DOCTOR. Descanso solamente . . . Hasta mañana, señor . . . Y enhorabuena[24] por su matrimonio. (*Y va a salir por la puerta de la derecha.*)

CARLOTA. Un momento, doctor . . . Voy a acompañarle. Ade- 15 más del plátano, le voy a ofrecer alguna bebida caliente, pues la noche está húmeda y ha salido usted poco abrigado . . . Vete acostando, Charlie . . . Y no te importe si tardo un poco . . . También tengo que darle la medicina a John Manning . . . ¿Quiere pasar, doctor? 20

DOCTOR. (*Asustado.*) Sí. Gracias . . .

CARLOTA. De nada . . .[25] (*Y hace mutis con el Doctor por la derecha. Oscuro. Cambia la luz y aparece Douglas Hilton por la escalera de caracol, siempre con su lupa. Barrington ocupa el mismo sitio que anteriormente.*) 25

DOUGLAS. Y pocos días después, murió John Manning, ¿no es eso?

BARRINGTON. Al día siguiente, del corazón . . . Pero lo más grave es que también murió el médico.

DOUGLAS. ¡Cáscaras![26] 30

BARRINGTON. E igualmente del corazón . . . Y ella le había ofrecido una bebida caliente, no lo olvide . . .

DOUGLAS. Sin embargo, estas defunciones[27] no las certificaría el doctor Wats, sino otro colega.

24. congratulations
25. You are welcome
26. Really!
27. deaths

BARRINGTON. En efecto. El doctor Barton.

DOUGLAS. ¿También amigo de Carlota?

BARRINGTON. Sí...

DOUGLAS. ¿Y sospechó él algo?

5 BARRINGTON. No. En absoluto. Quien sospechó fue Velda, pues desde entonces su comportamiento con Carlota fue bastante extraño y discutían mucho, siempre a solas,[28] sin que pudiese enterarme de lo que trataban...

DOUGLAS. En resumen,[29] míster Barrington... sólo Velda Man-
10 ning deseaba vengarse de Carlota por dos motivos. El primero porque al casarse con usted no recibió la herencia del padrino. Y el segundo porque empezó a sospechar que su esposo John murió envenenado por la señora... ¿Pero por qué se le ocurrió estrangularla esta misma noche, si sabía que iba a venir un detective? ¿Por
15 qué razón eligió este día?

BARRINGTON. Quizá por adelantarse a la posible acción de la justicia, ya que cuando le rogué a usted que viniera a mi casa fue para que tratara de descubrir discretamente lo que hubiera de verdad en todo este asunto...

20 DOUGLAS. Otro posible autor del crimen es Fred Sullivan... Pero según usted, no tenía ninguna razón para desear la muerte de su esposa...

BARRINGTON. Que yo sepa, no.

DOUGLAS. ¿Y el robo de la caja?

25 BARRINGTON. Eso es lo que más me desconcierta, míster Hilton ... Ninguno de los dos tenía razón para robar y mucho menos tratándose de la caja de la farmacia, en donde sólo se guardaban esas pequeñas cantidades de la venta del día. Claro está que también pudo ser alguna otra persona... Un desconocido cualquiera
30 ... ¡Ah! ¡Un momento! Ahora recuerdo que al llegar frente a casa vi a un hombre hablando con Harris... Un hombre jorobado de aspecto sospechoso.

DOUGLAS. ¿Ah, sí? ¡Es interesante! (*Y en este momento se oyen unas pisadas*[30] *en la escalera de caracol. Charlie se levanta aterrado.*)

35 BARRINGTON. ¿Eh? ¿Quién anda ahí? ¿No oye usted, Hilton?

28. alone   29. in short   30. footsteps

DOUGLAS. Sí. Perfectamente. Lo oigo perfectamente . . . Sube, Bill . . . (*Y por la escalera aparece Bill, el Hombre Jorobado.*)

BARRINGTON. ¿Qué hace aquí este hombre? . . .¿Quién es?

DOUGLAS. Es Bill, mi ayudante . . . [31] Su invitación para la cena de esta noche siempre me pareció un poco extraña y mandé por 5 delante[32] a Bill para que estuviese al tanto de[33] cualquier sorpresa . . . ¿Ha tomado taquigráficamente,[34] desde ahí abajo, toda la declaración de míster Barrington?

BILL. Sí, míster Hilton. Y siguiendo sus instrucciones he subrayado[35] todas las frases que me han parecido tener interés. 10

DOUGLAS. ¿Por ejemplo?

BILL. Según míster Barrington, cuando su esposa le presentó a Fred Sullivan y éste, involuntariamente, empezó a hablar empleando los tópicos de un manual de conversación, la señora le dijo: «Por desgracia en la vida siempre se habla así . . . Un día y otro día 15 y otro día.»

DOUGLAS. ¿Y qué hay con eso, Bill?

BILL. No estoy seguro, pero en esta frase de cansancio puede estar la solución del enigma . . .

DOUGLAS. No está mal pensado . . . ¿Y qué más? 20

BILL. También en su relato[36] míster Barrington mencionaba un revólver que escondía la señora en ese mueble . . .

BARRINGTON. No lo escondía. Lo guardaba en un cajón, por si ocurría algo . . .

DOUGLAS. ¿Está todavía ahí? 25

BARRINGTON. Sí. Siempre ha estado.

DOUGLAS. Compruébelo, Bill. (*Bill abre el cajón del mueble.*)

BILL. Aquí no hay nada, míster Barrington . . .

BARRINGTON. (*Va a buscarlo.*) No puede ser. Ha estado siempre. Incluso hoy mismo[37] lo he visto. 30

BILL. Pues no está, míster Barrington.

BARRINGTON. Esto sí que es extraño . . .

31. assistant
32. ahead
33. familiar with
34. in shorthand

35. underlined
36. account
37. Even this very day

DOUGLAS. No debe preocuparse. Su mujer no ha muerto de un
tiro de revólver, sino estrangulada . . . Siga, Bill . . .

BILL. En su historia, míster Barrington no ha mencionado al
sargento Harris . . .

5 BARRINGTON. ¿Y por qué iba a mencionarle?

DOUGLAS. Porque nosotros sabemos que el sargento Harris estaba
enamorado de su mujer, entraba en esta casa con frecuencia y esta
misma tarde estuvo aquí y se olvidó su pitillera. Pitillera que después del crimen, en un momento de descuido, se apresuró a
10 rescatar . . .[38]

38. recover

EXERCISES

I. Translate the following idiomatic sentences.
  1. Se ha puesto un poco enfermo.
  2. No tiene usted muy buena cara.
  3. Quiere ir a hacerle compañía.
  4. ¡Vaya! Usted ha aprovechado para apartar la taza de tila.
  5. Me encuentro mal, doctor.
  6. Tenía la frenta bañada con un sudor frío.
  7. Se me olvidó traer el maletín.
  8. Tenía sed, y para la sed no hay nada como el plátano.
  9. ¿Qué hay con eso, amigo mío?

II. Give the diminutive forms for the following.

1. noche	5. igual	8. pobre
2. papel	6. poco	9. marido
3. redondo	7. joven	10. chico
4. maleta		

III. Preguntas.
  1. ¿Por qué no fue Barrington a dar cuenta a la policía?
  2. ¿Qué habría hecho Hilton si su esposa le hubiera dicho lo
     que Carlota le dijo a Barrington?
  3. ¿Qué coge Hilton de la alfombra? ¿Qué será?

4. ¿Por qué dijo John Manning que las muertes de míster Powell y de míster Smith eran extrañas?
5. ¿Qué le dará Carlota a John?
6. ¿Bebió Barrington la taza de tila?
7. ¿Cuáles son los síntomas de la enfermedad de Barrington?
8. ¿Qué cosas le pidió el médico que Carlota le trajera, y por qué?
9. ¿Dónde estuvo el plátano?
10. ¿De qué tiene miedo el doctor Wats?
11. ¿Qué tiene Barrington según el médico?
12. ¿Tenía motivos Velda de vengarse?
13. ¿Robaría la caja Fred o Velda?
14. ¿Quién es Bill?
15. ¿En dónde guardaba el revólver?

Learn this vocabulary before you read pages 54-61.

alumbrar   to light, illuminate
apagar   to put out
aparte de   aside from
consiguiente   consequent
desesperado, -a   desperate
esconder   to hide
fumar   to smoke

lectura   reading
(hace) mucho tiempo   a long
   while (ago)
reclamar   to claim, demand
señal f.   sign, mark
simplificar   to simplify
testigo   witness

BARRINGTON.   ¡Eso no es verdad! ¡Carlota era incapaz de lo que ustedes insinúan!...[1] (*Se oye la voz de Harris por la derecha.*)

HARRIS.   ¿Puedo pasar, míster Hilton?

DOUGLAS.   Naturalmente, sargento Harris ... (*Y entra Harris.*)
5 ¿Qué hay de nuevo?...[2] ¿Y ese juzgado, por qué no viene?

HARRIS.   Aún tardará un rato, míster Hilton ... Se ha cometido otro asesinato en el distrito y están efectuando diligencias ...[3] Yo, mientras tanto, he estado buscando a Velda Manning.

DOUGLAS.   Inútilmente, como es de esperar.[4]

10 HARRIS.   No. He dado con ella y está abajo.

DOUGLAS.   ¡Ah, caramba![5]

HARRIS.   (*Al ver a Bill*) ¿Quién es ese hombre?

DOUGLAS.   Es ... mi ayudante Bill ... Siga, sargento ... ¿Dónde encontró a la señora Manning?

15 HARRIS.   En una clínica ... Al salir de esta casa, a eso de[6] las cuatro, y dirigiéndose al domicilio de unos familiares,[7] la atropelló[8] un coche ... La llevaron a una clínica y allí ha estado con una ligera conmoción[9] cerebral hasta que he dado con ella.

1. insinuate
2. What's new?
3. judicial proceedings
4. is to be expected
5. confound it!
6. at about
7. members of the family
8. knocked her down
9. slight concussion

DOUGLAS.   ¿Hay testigos de su presencia allí durante ese tiempo?

HARRIS.   Naturalmente, míster Hilton. Todos los médicos y las enfermeras . . .

DOUGLAS.   Esto echa por tierra[10] todas nuestras teorías, míster Barrington.   5

BARRINGTON.   En efecto, así es . . .

DOUGLAS.   Bien . . . ¿Y Fred Sullivan?

HARRIS.   No le hemos encontrado por ninguna parte . . . No ha vuelto a su casa, ni al pequeño restaurante donde suele cenar . . .

DOUGLAS.   Al menos, míster Barrington, ese sospechoso sigue en [10] pie . . .[11] Haga subir a la señora Manning, sargento.

HARRIS.   Voy en seguida . . . (*Y se dirige a la puerta, pero Hilton le detiene con un gesto.*)[12]

DOUGLAS.   Ah, perdón . . . ¿Puede usted darme su pitillera? Quisiera fumar un cigarrillo . . .   15

HARRIS.   ¿Un cigarrillo? Lo siento mucho, míster Hilton, pero yo no fumo . . .

DOUGLAS.   ¿Nunca?

HARRIS.   No. Jamás he fumado y por lo tanto nunca uso pitillera.

DOUGLAS.   Perdón . . . Lo siento . . . (*Y Harris hace mutis. Doug-* [20] *las se acerca a Bill.*) Es astuto este Harris. Tendremos que tener buen cuidado con él . . Bien, Bill . . . Acompañe a míster Barrington a la farmacia . . . (*A Barrington.*) ¿No le importa, verdad? Quisiera estar a solas con la señora Manning.

BARRINGTON.   Como usted guste.   25

DOUGLAS.   Muchas gracias. (*Barrington y Bill hacen mutis por la escalera de caracol, casi al mismo tiempo que, por la derecha, entra Velda Manning seguida de Harris. Es una época posterior, y por lo tanto ya no lleva ningún esparadrapo.*)

VELDA.   ¿Dónde está la señora? ¿Dónde está? Quiero verla . . .   30

DOUGLAS.   No le convienen las emociones fuertes, señora Manning . . . Acaba usted de sufrir un accidente . . .

VELDA.   ¡Pero ya me encuentro bien, señor! ¡Y quiero verla! ¡Quiero ver a mi pobre señora!

10. tears down   11. up and about   12. gesture

DOUGLAS. Vamos, cálmese . . . Más tarde la verá . . . Ahora siéntese . . . ¿Quiere dejarnos solos, sargento?

HARRIS. Sí, míster Hilton. (*Y hace mutis. Velda se ha sentado, y llora en silencio. Douglas Hilton, en pie junto a ella, la observa.*)

5 DOUGLAS. ¿No le queda a usted ninguna señal de su quemadura[13] en la cara?

VELDA. No. De aquello pasó mucho tiempo. ¿Por qué me lo pregunta?

DOUGLAS. No. Por nada . . . Lleva usted un sombrero muy bo-
10 nito . . . ¿Cuánto le costó?

VELDA. Me lo regaló mi pobre señora Carlota . . . ¡Pero si era una santa! ¡Una santa llena de bondad, incapaz de hacerle daño a nadie!

DOUGLAS. ¿Ah, sí? ¿Tan buen concepto[14] tenía usted de la
15 señora?

VELDA. El que la señora se merecía, señor. ¿Cómo es posible que la hayan matado? ¿Quién ha sido? ¿Quién? ¡Quiero saberlo!

DOUGLAS. Eso mismo intenta saber la policía, señora . . . Y usted nos tiene que ayudar . . .

20 VELDA. ¿Yo? ¿Cómo?

DOUGLAS. Contando lo que sepa de la señora Barrington . . . Hasta ahora sólo tengo la versión de su esposo . . .

VELDA. ¡Pobrecito señor! ¡Cómo lo habrá sentido! ¡Tan buenc como es!

25 DOUGLAS. ¡Ah, caramba! ¿También le parece bueno el señor Barrington?

VELDA. ¿Bueno? ¡Pero si es un santo! ¡Tan enamorado de su mujer! ¡Y tan cariñoso con todo el mundo!

DOUGLAS. Por culpa de este hombre, sin embargo, no recibió
30 usted la herencia del padrino de la señora . . .

VELDA. ¡Valiente porquería[15] de herencia! ¡Qué risa! ¡Como si a mí me importase algo!

DOUGLAS. Bueno, vamos a ver . . . ¿Dónde tiene usted la llave de la puerta de servicio?

13. burn   14. opinion   15. Mere trifle

VELDA.   Aquí. En el bolsillo. Mírela.

DOUGLAS.   ¿Echó la llave[16] al salir?

VELDA.   Claro. Nunca se me olvida. Esa puerta da a un callejón muy solitario. A la señora y a mí nos daba miedo que estuviese la llave sin echar.   5

DOUGLAS.   Dígame qué pasó hoy, antes de que usted saliera . . .

VELDA.   ¿Hoy? Nada de particular,[17] señor. El ritmo[18] de esta casa es siempre el mismo . . . Los días son siempre iguales . . . Subí a despedirme de la señora, que estaba aquí mismo[19] escribiendo su diario.   10

DOUGLAS.   ¿Su diario? ¿Qué diario es ése?

VELDA.   Tenía la costumbre de escribir todo lo que hacía . . .

DOUGLAS.   ¿Sabía eso míster Barrington? No nos lo ha dicho . . .

VELDA.   No lo sabía, señor . . . Ella no quería que nadie se enterase y sólo yo estaba en el secreto . . . El diario lo guardaba en ese   15 mueblecito y escondía la llave bajo la alfombra . . . ¡Pero mire! . . . ¡La llave está puesta![20]

DOUGLAS.   ¡Ah! (Y *va hacia el* secrétaire. *Abre un cajón.*) Aquí está el diario, efectivamente . . . Es raro que no escondiese la llave como usted dice . . .   20

VELDA.   Si entró el asesino cuando estaba escribiendo . . .

DOUGLAS.   No. Entró cuando estaba tocando el piano. (Y *lee en las últimas páginas del diario.*) «Hoy, veintisiete de noviembre . . .» Es hoy, ¿no es cierto?

VELDA.   Sí . . .   25

DOUGLAS.   «Velda acaba de marcharse a ver a su familia, y yo me quedo sola esperando a Charlie, que viene a cenar con un amigo . . .» Y no dice más . . . ¡Señora Manning! Creo que la lectura de este diario simplificará mucho las cosas. Pero antes de leer algunas de sus páginas quiero que usted declare todo lo que   30 sepa . . . ¿Qué pasó hoy?

VELDA.   Ya le digo que subí a despedirme y ella escribía . . . Tenía la puerta cerrada y tuve que llamar . . . ¡Señora! ¡Señora!

---

16. Did you lock (it)   19. right here
17. Nothing in particular   20. set (in the lock)
18. rhythm

Tardó un poquito en contestarme ... (*Hay un oscuro, marcando otro tiempo, mientras se escucha la voz de Velda, que dice:*) ¡Señora! ¡Señora! (*Al darse de nuevo la luz, con el consiguiente cambio de matiz, ya no están en escena Hilton ni Velda, y vemos*
5 *a Carlota que se levanta de la mesa donde escribe y va a la puerta a abrir.*)

CARLOTA. ¡Ya voy, Velda! ... (*Y abre. Entra Velda.*)

VELDA. Venía a decirle adiós a la señora ...

CARLOTA. ¿Insiste usted en marcharse aún teniendo un invitado
10 a cenar?

VELDA. Yo lo siento mucho, señora ... Pero si el señor lo hubiese dicho antes ... Ya no me da tiempo de avisar a mi familia, que me está esperando ... Ellos también tienen hoy su día libre ...

CARLOTA. Tiene usted razón ... Pero es que me molesta que-
15 darme aquí sola esta tarde ...

VELDA. ¿Por qué?

CARLOTA. No sé ... Tonterías, quizá ... Pero me intriga mucho que mi marido traiga a cenar a ese amigo suyo de policía ... Nunca me había hablado de él ... Y ahora, de pronto ... ¿No le parece
20 a usted un poco extraño?

VELDA. No empiece usted con sus fantasías ...

CARLOTA. En realidad no hay ningún motivo para tener miedo ... Pero lo tengo ...

VELDA. Si no hubiera hecho usted lo que nunca debió hacer ...

25 CARLOTA. ¡Calle, Velda! Lo hecho ya no tiene remedio[21] y me molesta mucho que me lo recuerde. Pero me quedo sola y la soledad me da tristeza ...[22]

VELDA. La señora no se queda sola. Está Fred abajo ...

CARLOTA. Mucho peor aún ... ¿No se da cuenta de que Fred
30 ha cambiado mucho?

VELDA. Está desesperado desde que le dejó miss Margaret, que a mi juicio debe de estar enamorada de otro hombre ...

CARLOTA. ¿De otro hombre? ¿De quién?

VELDA. Cualquiera lo sabe ... ¡Es tan rara la señorita!

---

21. cannot be helped   22. saddens me

CARLOTA. Sí. Muy rara . . . Realmente, en Londres, cada día estamos todos más raros . . . Debe de ser de tanto rosbif . . .

VELDA. A lo mejor . . .[23]

CARLOTA. Escúcheme, Velda . . . En este diario apunto[24] todos los días las cosas que hago y mis impresiones y mis sentimientos . . . 5
Nadie lo sabe más que usted . . . El diario lo guardo en ese mueble, y la llave la escondo bajo la alfombra; ya sabe dónde está . . .

VELDA. Pero ¿qué va a pasar? Me está usted inquietando, señora . . . Y si se pone usted así me quedo y no salgo . . .

CARLOTA. No, pobre . . . La espera su familia . . . Salga usted 10
. . . Han llamado . . . ¿Quién puede ser?

VELDA. Voy a ver, señora . . . (*Y hace mutis por la derecha. Carlota repasa*[25] *las páginas de su diario.*)

CARLOTA. «Veinticuatro de mayo de mil novecientos seis . . .» ¡Qué lejos está ya todo esto! . . . «Hoy hace un año que murió mi 15
pobre Smith . . .» (*Aparece Velda.*)

VELDA. Es el sargento Harris, señora . . .

CARLOTA. ¿El sargento? Bueno . . . Dígale que pase . . . (*Y entra Harris por la derecha. Da un vistazo a*[26] *la habitación antes de hablar.*) 20

HARRIS. Buenas tardes, señora Barrington . . .

CARLOTA. Buenas tardes . . . ¿A qué viene, sargento?

HARRIS. Quizá sea una tontería . . . Pero he encontrado en la calle, junto a su casa, esta pitillera . . .

CARLOTA. ¡Ah! ¿Y qué? 25

HARRIS. No, nada . . . He pensado que pudiera ser de su marido . . .

CARLOTA. (*La coge.*) No. No lo es.

HARRIS. En ese caso puede ser de alguien que haya salido de la farmacia . . . 30

CARLOTA. ¿Y por qué no se la ha dado a Fred Sullivan?

HARRIS. Ya ve . . . Pensé que era mejor dársela a usted personalmente . . .

23. Perhaps
24. I jot down

25. glances over
26. he looks over

VELDA.   Claro .. Y así, de paso, poder hablar un poquito con la señora ...

HARRIS.   No sea usted mala, señora Manning ...

VELDA.   El que se haya quedado viudo tan joven no es motivo para que se enamore de todas las señoras del distrito ...

CARLOTA.   Calle, Velda ... ¡Cómo se va a enamorar de mí un chiquillo como el sargento Harris!

HARRIS.   La señora Barrington, indudablemente, me inspira mucha simpatía, pero nada más ...

10 CARLOTA.   Celebro que sea así ...

HARRIS.   Quizá sea su manera de tocar el piano lo que me emociona[27] algo más de la cuenta ...[28] Y como en el fondo soy un sentimental ... (*Hay un silencio.*) ¡Se prepara una buena niebla esta noche! ...

15 CARLOTA.   Muy bien, Harris ... Dejaré aquí la pitillera, por si alguien la reclama ... Gracias.

HARRIS.   ¿Tocará después el piano?

CARLOTA.   Puede ser que sí ...

HARRIS.   ¿Se encuentra usted bien?

20 CARLOTA.   Aparte de mis achaques[29] del corazón, perfectamente ...

HARRIS.   Me alegro mucho, señora Barrington ... Ya sabe usted que la quiero bien y le tengo una profunda simpatía ...

CARLOTA.   (*Secamente da por[30] terminada la conversación.*) Se
25 lo agradezco mucho, pero le ruego que no vuelva a subir con pretextos triviales ... Quiero a mi marido y él me quiere a mí, y estas visitas podrían molestarle ...

HARRIS.   No he querido ofenderla, señora Barrington ...

CARLOTA.   Buenas noches, sargento ... Acompáñele, Velda.

30 HARRIS.   (*Bastante molesto.*) No se preocupen ... Conozco el camino de salida ... Buenas noches .. Y procuraré no molestarla más ... Esté usted segura ... (*Y hace mutis por la derecha.*)

CARLOTA.   Y usted, Velda, ya se puede ir ...

27. touches
28. more than necessary
29. habitual indispositions
30. she considers as

VELDA. Ha estado usted un poco dura con Harris . . .

CARLOTA. Es muy joven y no sabe lo que se hace . . . Pero estas visitas se repiten con mucha frecuencia y no me gustan . . .

VELDA. ¿De verdad no quiere que me quede?

CARLOTA. No; váyase y apague la luz, por favor . . . Y cierre la 5 puerta.

VELDA. Hasta despúes entonces, señora.

CARLOTA. Hasta después. (*Velda apaga la luz general y hace mutis, cerrando la puerta. Carlota, sentada a la mesa del centro, de espaldas a la escalera de caracol, empieza a escribir su diario,* 10 *alumbrándose con un quinqué.*)[31] «Hoy, veintisiete de noviembre. Velda acaba de marcharse a ver a su familia, y yo me quedo sola esperando a Charlie» . . . (*Mientras escribe esto Fred ha ido subiendo sigilosamente por la escalera de la farmacia y va al mueble donde está guardado el revólver. Lo coge, y con él en la mano va* 15 *hacia donde está Carlota, que no se da cuenta de nada, pero que, de pronto, da un fuerte grito.*) ¡Ay! ¡Qué atrocidad! ¡Por poco se me derrama la tinta del tintero![32] ¡Con la mala suerte que da eso! (*Y sigue escribiendo, mientras Fred, que se había asustado con el grito y había retrocedido,*[33] *se rehace*[34] *y continúa avanzando hacia* 20 *ella.*) «. . . Y yo me quedo sola esperando a Charlie, que viene a cenar con un amigo . . .»

31. student lamp
32. I am almost spilling the ink from the inkwell.
33. moved backward
34. rallies

TELON

EXERCISES

I. Translate these expressions which include the verb dar.

A. (*Dar* followed by some nouns expresses the action implied by the noun, i.e. *dar un grito* means *to shout.*)

1. dar muestras
2. nos da miedo
3. dar un vistazo
4. darse cuenta de
5. darle pena
6. me da tristeza
7. darse prisa
8. dándole vueltas

B.
1. ¿Qué más le da?   4. al darse luz
2. dar a entender   5. dar por terminada
3. da con ella   la conversación.

II. Translate these sentences.
1. No se apresuró a rescatar la pitillera.
2. No le hemos encontrado por ninguna parte.
3. No fumo y por lo tanto no uso un encendedor.
4. Tendremos que tener buen cuidado con él.
5. Velda tiene razón. Es su día libre e insiste en salir.
6. Lo hecho ya no tiene remedio.
7. Me emocionaba algo más de la cuenta.

III. Preguntas.
1. ¿Por qué no vino el juzgado?
2. ¿En dónde estaba Velda cuando el sargento Harris dio con ella?
3. ¿Había testigos que Velda estuvo en la clínica?
4. ¿Pudieron hallar a Fred Sullivan?
5. ¿Le queda a Velda una señal de la quemadura en la cara?
6. ¿Cuánto le costó a Velda el sombrero?
7. ¿Por qué echa la llave de la puerta de servicio Velda al salir?
8. ¿Entró el asesino cuando Carlota escribía?
9. ¿Qué fecha es?
10. ¿Por qué está desesperado Fred Sullivan?
11. ¿Qué escribía Carlota en su diario?
12. ¿Cuándo murió el señor Smith?
13. ¿A qué viene el sargento Harris a la vivienda de Carlota?
14. ¿Vendrá otra vez el sargento Harris con pretextos triviales?
15. Antes de salir, ¿qué hace Velda?
16. ¿Quién entra después sigilosamente, y qué hace?

Learn this vocabulary before you read pages 63-72.

aguantar to endure, stand
angustiado, -a distressed
atrás back
ceder to yield
celoso, -a jealous
compromiso obligation
conseguir to succeed in

funcionar to work, run, operate
habilidad *f.* ability, cleverness
humedad *f.* humidity
íntimo, -a intimate
odiar to hate
regresar to return
sabor (*m.*) a taste of

ACTO SEGUNDO

El mismo decorado.

Al levantarse el telón, con luz actual, Douglas Hilton sigue interrogando a Velda Manning.

DOUGLAS. ¿Y esto fue todo, señora Manning?

VELDA. Sí, señor . . . Todo lo que ocurrió esta tarde . . . Después ₅ me marché y no supe más hasta que fueron a buscarme a la clínica y me dieron la terrible noticia . . . ¡Pobre señora Barrington! ¡Pobrecita señora Barrington!

DOUGLAS. Según acaba de decirme, cuando ya estaba en la escalera escuchó usted un grito que daba la pobrecita señora ₁₀ Barrington.

VELDA. No le concedí importancia . . . Ya le he explicado que la señora estaba nerviosa, y cuando la señora estaba nerviosa a veces daba gritos[1] para despejarse la cabeza . . .[2] Y por otra parte[3] para mí era tarde . . . Comprendo que hice mal y que debí volver ₁₅ . . . Pero ¡cómo iba a suponer que ese grito significaba un peligro para la señora! . . .

DOUGLAS. ¿Usted cree capaz a Fred Sullivan de cometer este asesinato? (*Velda calla.*) ¡Conteste!

1. shouted   2. relieve her head of pain   3. besides

63

VELDA. Sólo puedo decirle que estaba muy excitado desde que le dejó miss Margaret . . .

DOUGLAS. ¿Sabe usted por qué le dejó?

VELDA. Es difícil saber algo cuando se trata de miss Margaret
5 . . . Conozco pocas personas tan histéricamente constituidas . . .

DOUGLAS. ¿Sospecha usted de ella?

VELDA. ¿Qué cosa he de sospechar?

DOUGLAS. Quiero decir que si la cree usted capaz de haber asesinado a la señora Barrington . . .

10 VELDA. ¡De ningún modo,[4] señor! . . . ¿Por qué, además, iba a matarla? Eran amigas y se querían mucho . . . ¡Pobrecita miss Margaret!

DOUGLAS. Está bien, señora . . . Considero de todo punto necesario . . . hablar con la pobrecita miss Margaret . . . (*Douglas se*
15 *dirige a la puerta de la derecha, que está cerrada, y al ir a abrirla llama:*) ¡Sargento Harris! (*Pero una vez abierta, ve que el sargento Harris está detrás.*) ¡Ah! ¿Estaba usted escuchando?

HARRIS. No, míster Hilton . . . Esperaba aquí por si me necesitaba . . . Pero si prefiere usted que me marche . . .

20 DOUGLAS. No, nada de eso.[5] Pase usted, sargento . . . Y dígame una cosa . . . ¿Conoce usted a miss Margaret? . . . (*Harris no puede contener un gesto de inquietud.*)[6]

HARRIS. ¿A miss Margaret? ¿Por qué me lo pregunta, míster Hilton?

25 DOUGLAS. ¡Es curioso! No sabía que esa pregunta le iba a sorprender de tal manera . . .

HARRIS. No me sorprende, pero yo creía . . .

DOUGLAS. ¿Qué creía usted?

HARRIS. Que la señora Manning le había dicho . . .

30 VELDA. ¿Qué le iba a decir yo, sargento Harris? . . .

HARRIS. Es verdad, perdone . . . Usted no sabe nada . . . Como ella se empeñó en[7] guardar el secreto . . .

DOUGLAS. ¿Quiere usted hablar claro? . . . No entiendo una palabra de lo que está diciendo . . . ¿A qué secreto se refiere?

4. By no means	6. anxiety
5. not at all	7. insisted on

HARRIS. Miss Margaret y yo somos novios ...

DOUGLAS. ¡Caramba!

HARRIS. Nos queremos y vamos a casarnos ... Este ha sido el motivo de que rompiese con Fred Sullivan ... Pero Fred está irritado por esta ruptura, y hasta que se le vaya pasando el disgusto, 5 Margaret prefiere que ni él ni nadie se entere de nuestras relaciones, que llevamos[8] en un absoluto secreto ...

VELDA. ¿Por qué entonces buscaba usted pretextos para subir aquí y hablar con la señora?

HARRIS. Ya sé que usted creía que yo galanteaba[9] a la señora 10 Barrington. Y, en efecto, la tenía cariño ... Era buena y dulce ... Pero la verdad es que si subía aquí de cuando en cuando[10] era para encontrarme con miss Margaret, que la visitaba con frecuencia.

DOUGLAS. ¿Y su visita de esta tarde? ... Quiero decir cuando vino aquí con la pitillera ... Esa que rescató en un descuido mío ... 15

HARRIS. Debe perdonarme, míster Hilton ... Sé que he cometido una falta[11] grave, pero después de ocurrir el asesinato de la señora Barrington tenía miedo de que se encontrase esa pitillera que yo había dejado en la casa y que normalmente había de despertar sospechas ... Por eso me apresuré a quitarla de en medio ...[12] 20 (*Y la saca de su bolsillo.*) Es ésta ...

DOUGLAS. (*La coge.*) ¿De quién es?

HARRIS. De un compañero mío, el sargento Gaylor, que me la prestó. Porque yo no fumo ...

DOUGLAS. Pues yo, en cambio, sí. (*Y coge un pitillo[13] y le de-* 25 *vuelve la pitillera.*) ¡Bueno! ¿Y por qué tanto cuento y tanta pitillera para entrar aquí?

HARRIS. Esta tarde era necesario ... Porque yo sabía que mis visitas le molestaban a la señora Barrington ... Y a la señora Manning también ... Pero hoy, necesariamente debía subir aquí 30 y busqué un pretexto ...

DOUGLAS. ¿Necesariamente? ¿Por qué?

HARRIS. Como usted sabe, se celebran las fiestas de la barriada

8. we continue
9. courted
10. from time to time
11. offense
12. to get it out of the way
13. cigarette

de Watford, y miss Margaret debía ir a un baile con todos sus compañeros de oficina ... Yo le había rogado que no fuese, porque conozco esa clase de fiestas y soy un poco celoso ... Discutimos y ella, entonces, al fin cedió ... Me prometió no ir a ese baile y
5 pasarse la tarde aquí con la señora Barrington ...

DOUGLAS. Y usted hizo esta visita para cerciorarse ...[14]

HARRIS. Así fue, señor ... Y pude comprobar que no había cumplido su promesa ...

DOUGLAS. ¿Está en el baile entonces?

10 HARRIS. En su casa me han dicho que a eso de las cinco fueron a buscarla los compañeros de oficina y que ya no pudo desligarse[15] de este compromiso ... Hace poco he ido a preguntar por ella nuevamente[16] y no había regresado todavía ...

DOUGLAS. En este caso, vaya a buscarla inmediatamente, sar-
15 gento Harris ... Pero no como novio celoso, sino como agente de policía ... Era amiga íntima de la señora Barrington y su declara ción puede sernos de gran utilidad ...

HARRIS. Sí, míster Hilton ... Y debe perdonarme si yo ...

DOUGLAS. Está usted perdonado ... Puede irse ... (*Y Harris*
20 *hace mutis por la derecha.*) Además de histéricamente constituida, miss Margaret parece ser una coqueta redomada ...[17]

VELDA. ¡Nunca pude suponer que tuviese relaciones con el sargento Harris! ¿Hasta dónde llega la hipocresía de la mujer inglesa?

25 DOUGLAS. ¡Hasta donde llega nuestra invencible flota,[18] señora Manning! A confines ignotos ...[19] Pero dejemos a la Marina en paz y, mientras llega miss Margaret, repasemos algunas páginas del diario de la señora Barrington ...

VELDA. ¡No! ¡No haga usted eso, se lo suplico!

30 DOUGLAS. (*Sorprendido por el tono angustiado de Velda.*) ¿Por qué no he de hacerlo?

VELDA. ¡Tengo miedo de que se descubran muchas cosas! ...

DOUGLAS. ¡Usted sabe algo entonces, señora Manning!

14. make sure	17. sly
15. extricate herself	18. fleet
16. again	19. unknown limits

VELDA. Sé cosas que no se refieren a este asesinato . . .

DOUGLAS. ¿A cuál otro entonces?

VELDA. A ninguno, señor . . . Se refieren a pequeños secretos, a cosas íntimas de una mujer, a los que ningún hombre tiene derecho a penetrar . . . 5

DOUGLAS. A menos que[20] ese hombre sea policía, señora Manning. (*Con el diario en la mano.*) ¿Cuándo se casó la señora?

VELDA. Hará ya dos años . . .

DOUGLAS. Volvamos entonces un poco atrás . . . Retrocedamos[21] un año, por ejemplo . . . 10

VELDA. ¡No lea ese diario, señor!

DOUGLAS. ¡Calle de una vez, señora Manning! Leeremos algunas páginas que se refieran a un año después de su matrimonio y a un año antes de que haya sido asesinada en esa alcoba . . . Aquí mismo, al azar . . .[22] «Diecinueve de febrero, sábado. Hoy me he comprado 15 un corsé monísimo de raso celeste,[23] para que me haga juego con el camisón»[24] ¡Es interesante! . . . Bueno, no; no es interesante . . . Continuemos unos días después . . . «Veintiuno de febrero, lunes . . .» (*La escena queda a oscuras.[25] Y durante el oscuro se escucha la voz de Carlota, que repite:*) 20

CARLOTA. Veintiuno de febrero, lunes . . . Esta tarde espero a mis queridísimas amigas Cristi y Lilián, a las que no veo desde hace mucho tiempo . . . Las he llamado y van a venir . . . ¡Y tengo tantísima ilusión[26] de que tomen el té conmigo . . . ! (*Al encenderse nuevamente la luz han desaparecido Velda y Douglas y vemos* 25 *a Carlota que va hacia la puerta de la derecha.*) ¡Velda! ¡Velda! (*Entra Velda con un servicio de té.*)

VELDA. Ya estoy aquí, señora . . .

CARLOTA. ¿Está todo preparado?

VELDA. Todo . . . 30

CARLOTA. Ya no deben tardar en venir . . . En cuanto lleguen las sube aquí . . . ¡Es tan importante esta visita . . . !

VELDA. ¿Usted cree que lo es?

20. Unless
21. Let's go back
22. at random
23. very pretty sky-blue satin corset
24. corset cover
25. in the dark
26. hope

CARLOTA. Sí, Velda. Muy importante...

VELDA. Está bien, señora ... No quiero discutir ... (*Y hace mutis por el mismo sitio, después de dejar el servicio de té sobre la mesa del centro. Carlota empieza a disponer las tazas mientras* 5 *por la escalera de la farmacia entra Barrington con un reloj de mesa en la mano y alicates o destornillador.*)[27]

BARRINGTON. ¿Qué haces, Carlota?

CARLOTA. Estoy preparando el té...

BARRINGTON. ¿El té? ¿Para quién?

10 CARLOTA. Ya sabes que esta tarde vienen a verme unas amigas...

BARRINGTON. ¿Qué amigas?

CARLOTA. ¡Pero si te lo he dicho ya! ... Misis Cristi y miss Lilián ... Te las presenté unos días después de casarnos ...

BARRINGTON. ¡Ah, sí! Ya recuerdo ... Pero me has dicho varias 15 veces que esas amigas te caían ligeramente gordas ...[28]

CARLOTA. (*Con voz grave y distinta.*) ¡Si fuera eso sólo! Lo peor de todo es que las aborrezco, ¿comprendes? ... ¡Que las odio!

BARRINGTON. (*Extrañado.*) ¿Por qué las invitas entonces? ...

CARLOTA. ¡Bah! Son cosas de mujeres que tú nunca podrás 20 comprender...

BARRINGTON. ¡Ah!

CARLOTA. ¿No ibas a salir?

BARRINGTON. Sí. Dentro de un rato; tengo que dar una vuelta por[29] el Banco ... (*Y se fija en que Carlota ha ido con las tazas de* 25 *té hasta el* secrétaire *y manipula en*[30] *ellas, vuelta de espaldas.*)[31] ¿Qué haces con esas tazas, Carlota?

CARLOTA. Las estoy limpiando con un pañito que guardo aquí y con el que quedan brillantes, brillantes, brillantes ...

BARRINGTON. (*Muy desconfiado.*) ¡Ah!

30 CARLOTA. ¡Mira que tener que aguantar ahora a esas horribles señoras! ... ¿Cómo se les habrá ocurrido venir? ¡Vamos, es para matarlas!

BARRINGTON. ¿Sí?

27. pliers or screwdriver
28. were slightly boring to you
29. take a walk to
30. handles
31. her back turned

CARLOTA. Pues naturalmente...

BARRINGTON. ¡Ah!

CARLOTA. ¿Y tú? ¿Consigues arreglar ese reloj?

BARRINGTON. Está ya arreglado ... Ahora funciona perfectamente ...   5

CARLOTA. ¡Qué rico[32] eres! ¡Cuidado que tienes habilidad para estas cosas! Me tienes que arreglar el de la escalera, que nunca señala la hora bien ...

BARRINGTON. Sí, querida ... Cuando tú quieras ... (*Y por la derecha se oye la voz de misis Cristi.*)   10

CRISTI. ¿Se puede entrar, Carlota?

CARLOTA. ¡Ah! Ya está aquí Cristi (*Y va hacia la puerta por donde entran misis Cristi y su sobrina Lilián, las dos serias y graves y típicamente inglesas.*)

CRISTI. Buenas tardes, Carlota ...   15

CARLOTA. Buenas tardes, Cristi.

LILIÁN. Buenas tardes, Carlota.

CARLOTA. Buenas tardes, Lilián ... Pero pasad, queridas ... Está aquí mi marido ...

CRISTI. Buenas tardes, míster Barrington.   20

BARRINGTON. Buenas tardes, señora.

LILIÁN. Buenas tardes, míster Barrington.

BARRINGTON. Buenas tardes, señorita ...

CARLOTA. Sentaos aquí ... Ya tengo preparado el té. (*Las señoras se sientan.*)   25

CRISTI. Gracias. (*Hay un silencio.*) Tenemos muy mal tiempo estos días ...

LILIÁN. La humedad relativa del aire ha llegado a ser de un noventa por ciento ...

BARRINGTON. Mientras dure la niebla la temperatura continuará 30 igual ...

CRISTI. El barómetro, sin embargo, empieza a subir ...

CARLOTA. En efecto, el barómetro empieza a subir ... (*Y hay otro silencio.*)

32. How fine

CRISTI.	¿Has leído el *London News* de hoy?

CARLOTA.	No.

LILIÁN.	Viene interesante ...

CRISTI.	Un caballero distinguido ha asesinado a su mujer me-
5 tiéndola en una olla[33] de agua hirviendo ...

LILIÁN.	Un crimen muy lindo ...

CARLOTA.	En efecto, muy lindo ...

CRISTI.	Y además económico ... Agua y fuego tan sólo ...[34]
¿No le parece a usted, míster Barrington?

10 BARRINGTON.	Sí, un crimen casero,[35] efectivamente ...

CARLOTA.	(*Sirviendo el té.*) ¿Azúcar?

CRISTI.	Dos.

LILIÁN.	Tres.

CRISTI.	Gracias.

15 LILIÁN.	Gracias ...

CARLOTA.	¿Tú tomas el té, Charlie?

BARRINGTON.	No, gracias, querida ...

CARLOTA.	Debéis disculparle que no nos acompañe ... Desde
que nos casamos nunca toma el té en casa ... No se sabe por qué,
20 pero prefiere tomarlo en la oficina ...

CRISTI.	(*Con tono irónico.*) Lo comprendemos perfectamente ...

LILIÁN.	(*Lo mismo.*) Es lo más natural ...

BARRINGTON.	¿Por qué es natural?

LILIÁN.	¡Los hombres son tan maniáticos ...![36]

25 CRISTI.	¡Y tan extrañamente caprichosos ...!

CARLOTA.	Desde hace una temporada[37] sólo se alimenta de hue-
vos pasados por agua y de conservas ...[38] ¡Ah! Y no consiente que
le haga ningún plato de repostería.[39]

CRISTI.	¡Con lo bien que te salen a ti! ...[40]

30 LILIÁN.	¡Tan sabrosos![41]

33. pot	38. soft-boiled eggs and canned goods
34. merely	39. fancy dessert
35. domestic	40. How successful yours are!
36. crazy	41. tasty
37. spell	

CRISTI.   Y con ese gustito tan raro . . .

CARLOTA.   Desde luego . . .

LILIÁN.   ¿Has leído el *London-Magazine*?

CARLOTA.   No.

CRISTI.   Trae[42] otro crimen muy bueno . . . Una recién casada 5
que la noche de bodas, mientras su marido dormía, le dio un martillazo[43] en la cabeza y le dejó seco . . .[44]

CARLOTA.   Sí. Está muy bien traído . . .[45]

LILIÁN.   En cuestión de crímenes andamos muy bien esta temporada . . . 10

CRISTI.   Lo importante es que siga así . . .

CARLOTA.   ¿Otra taza de té?

CRISTI.   No. Muchas gracias . . .

CARLOTA.   ¿Por qué? Siempre tomáis dos . . .

CRISTI.   No se me apetece,[46] la verdad . . . 15

CARLOTA.   ¿Es que no está[47] bueno? . . .

CRISTI.   Bueno sí que está . . . Pero le noto algo así como un
pequeño sabor a medicina . . .

CARLOTA.   ¡Qué raro! Pues lo he preparado yo misma . . . ¿Verdad, Charlie? 20

BARRINGTON.   Sí, querida.

CARLOTA.   ¿Quieres probarlo tú, a ver si notas algo?

BARRINGTON.   No, no, muchas gracias . . . Basta con[48] que lo
digan tus amigas . . .

LILIÁN.   Desde luego, sabe a medicina, pero muy ligeramente. 25

CARLOTA.   ¡Cuánto lo siento! Quizá sea el olor que llega aquí
desde la farmacia . . .

CRISTI.   Sí, es posible . . .

LILIÁN.   A lo mejor . . .

CARLOTA.   (*A Charlie.*) ¿No te ibas a ir al Banco, querido? 30

BARRINGTON.   No. Prefiero esperar un poquito a ver qué pasa . . .

---

42. It has
43. hammer blow
44. dead
45. carried out
46. I don't desire it
47. it does not taste
48. omit **con** in translation

CARLOTA. ¿Qué quieres que pase?

BARRINGTON. Me refiero al tiempo . . . Parece que va a llover mucho y me da tanta pereza salir . . .[49]

49. it makes me so lazy about leaving

EXERCISES

I. Translate the following sentences.

1. De ningún modo es él capaz de haber asesinado a la señora.
2. De vez en cuando el clima de esta casa es abrumador.
3. En cambio, prefiero esperar un poquito a ver qué pasa.
4. ¡Calle de una vez! Lo leeré.
5. Aquí mismo, el diario nos dirá lo que ella hizo.
6. Por ejemplo, retrocedamos un año.
7. Fíjese usted en que Carlota hace con las tazas.
8. La humedad ha llegado a ser un noventa por ciento.
9. Notó algo así como un sabor a medicina.
10. ¡Cuánto me alegro de que haya venido!
11. De cuando en cuando bebo dos tazas de té.
12. Por otra parte no debe usted ofenderse.

II. Preguntas.

1. ¿Qué oyó Velda Manning en la escalera antes de salir?
2. ¿Sospechó Velda que Fred o Margaret mató a Carlota?
3. ¿Conoce el sargento Harris a miss Margaret?
4. ¿Por qué subió el sargento Harris a la vivienda de los Barrington?
5. ¿De quién era la pitillera?
6. ¿A qué hora se fue Margaret al baile?
7. ¿Por qué no quería Velda que el señor Hilton leyera el diario?
8. ¿Quiénes vinieron a visitar a Carlota el veintiuno de febrero?
9. ¿Qué trajo en la mano Barrington?
10. ¿Por qué invitó Carlota a misis Cristi y a miss Lilián?
11. ¿De qué hablan Carlota y sus amigas?
12. ¿Cómo mató la esposa recién casada a su marido?
13. ¿Por qué no tomaron más té las amigas?

Learn this vocabulary before you read pages 73-81.

aconsejar to advise
de acuerdo con in agreement
  with
amargado, -a embittered
apagarse to go out
clima m. climate
¡Dios mío! dear me!, my goodness!

entretener to entertain
fingir to pretend
harto, -a satiated, fed up with
jefe m. boss
jurar to swear
al principio at first
salvar to save
vacío, -a empty

CRISTI. Veo que tu marido no se quiere mover de tu lado, Carlota . . .

CARLOTA. Así es, mi querida Cristi . . . Estamos tan enamorados
como el primer día . . . Sólo se separa de mí para ir a la oficina, y
el resto del tiempo se lo pasa aquí en casa arreglando relojes . . . 5
¡Somos tan felices . . . ! ¿No te vas, querido?

BARRINGTON. Parece que deseas que me marche . . .

CARLOTA. Es que se te va a hacer de noche[1] y no me gusta que
vuelvas tarde a casa . . .

BARRINGTON. Bueno, me iré entonces. (A *las visitas.*) ¿De ma- 10
nera que se encuentran ustedes bien?

CRISTI. ¿Por qué íbamos a encontrarnos mal?

BARRINGTON. No, por nada . . . ¡Pero hace un tiempo tan
húmedo . . . !

LILIÁN. Es el tiempo de Londres . . . No hay por qué[2] ex- 15
trañarse . . .

BARRINGTON. En fin . . . Buenas tardes, señoras . . .

LAS DOS. Buenas tardes, míster Barrington . . .

BARRINGTON. Adiós, querida . . . (*Y da un beso a Carlota.*)

CARLOTA. Adiós, *darling* . . . (*Y Barrington, receloso,*[3] *hace* 20

1. it is going to become dark   2. There is no reason   3. suspicious

73

mutis por la derecha y cierra la puerta. Las tres mujeres le siguen con la mirada, y, una vez que ha salido, Carlota se echa a llorar mientras dice:) ¡Muchas gracias, Cristi! ¡Muchas gracias, Lilián!

CRISTI.   ¡Vamos! ¿Qué te pasa, Carlota?

5 LILIÁN.   Pero ¿por qué lloras?

CARLOTA.   ¡Estoy emocionada! ¡Sois tan buenas amigas . . . ! ¡Y estoy tan agradecida por lo que habéis hecho . . . !

CRISTI.   ¡Por favor! ¡No tienes que agradecernos nada!

LILIÁN.   Hemos hecho lo que nos has pedido . . .

10 CARLOTA.   Pero habéis fingido tan bien eso del mal sabor que tenía el té, que no lo podré olvidar nunca . . . Y lo de hablar de crímenes . . . Y vuestra expresión y vuestra seriedad . . .[4] Si no fuera tan dramático, hubiera sido cosa de echarse a reír . . .

CRISTI.   ¿Te hemos servido entonces?

15 CARLOTA.   ¿Podéis dudarlo todavía? ¿No habéis visto cómo se fue de impresionado? ¿No os habéis dado cuenta de que no se quería mover de aquí? . . . Y eso es lo que pretendo,[5] que no salga, que no se mueva . . . Y, sobre todo, que no se aburra . . .

LILIÁN.   Pero si ya lo habías conseguido, Carlota . . . ¿Por qué

20 ahora vuelves a lo mismo? . . .

CARLOTA.   Lo conseguí al principio, cuando, de acuerdo con vosotras, le dije todo aquello de que había envenenado a mi padrino . . . Pero desde hace poco tiempo . . .

CRISTI.   ¿Qué? (*Entra Velda por la derecha.*)

25 VELDA.   ¿Se puede, señora?

CARLOTA.   Pase, Velda . . .

VELDA.   ¿Puedo retirar el servicio?

CARLOTA.   Sí, Velda . . . Y ponga en su sitio esas cosas que ha dejado por ahí el señor . . .

30 VELDA.   ¿Ha salido bien el experimento de la señora?

CARLOTA.   Sí, Velda . . . Todo ha salido perfectamente . . . Estoy muy contenta . . .

VELDA.   Más vale así, señora . . .

CRISTI.   ¿También está enterada la señora Manning?

4. seriousness   5. I seek

CARLOTA.   Ya sabéis que con Velda no tengo secretos . . .

VELDA.   Yo preferiría que los tuviese, señora Barrington . . .
Estos secretos no me gustan nada . . . ¡Nada!

CARLOTA.   Bueno; calle, Velda . . .

VELDA.   Está bien, señora . . . (Y *pone en orden lo que le ha* 5
encargado[6] *la señora.*)

LILIÁN.   Bueno. Sigue con tu historia . . . Y dices que desde
hace poco tiempo . . .

CARLOTA.   Puede que sean figuraciones[7] mías, pero me parece
que empieza a aburrirse un poco . . . ¡Y cuando pienso que el pobre 10
Smith murió de aburrimiento . . . !

VELDA.   ¡Me molesta que diga esas cosas, señora! Míster Smith
murió del corazón, igual que murió el mío . . .

CARLOTA.   No, Velda . . . Murió de tedio[8] y de tristeza en cuanto
entró en esta casa . . . Y misis Cristi y miss Lilián están de perfecto 15
acuerdo conmigo . . .

CRISTI.   Naturalmente . . .

CARLOTA.   Usted, Velda, es triste, rara y antipática . . .[9]

VELDA.   Gracias, señora . . .

CARLOTA.   No debe usted ofenderse, porque desgraciadamente es 20
así . . . Y su pobre John tampoco era un par de castañuelas . . .[10]

VELDA.   ¿Cómo iba a ser alegre estando enfermo?

CARLOTA.   De cualquier modo, el clima de esta casa es abrumador . . .[11] Porque no sólo es Velda y era el pobre John . . . Es también Fred Sullivan, que tiene la cabeza vacía, y es Margaret Wats, 25
a la que quiero mucho, pero que tiene la cabeza demasiado llena
. . . Y soy yo también . . . Yo, que soy tonta . . .

CRISTI.   No digas eso . . .

LILIÁN.   Tienes un complejo[12] ridículo . . .

CARLOTA.   Sí, Lilián . . . Soy tonta de caerme . . .[13] No tengo 30
conversación. Cuando hablo, de pronto y sin saber por qué, me

6. requested
7. imagination
8. boredom
9. disagreeable
10. very gay
11. oppressive
12. complex
13. to become downcast

quedo callada y como en Babia,[14] pensando en otra cosa ... ¿Creéis
que esto es normal? No, no es normal, y termina por desesperar a los
que me escuchan ... Y ésta es la atmósfera de esta casa, que Velda
y yo apenas notamos porque ya estamos acostumbradas, pero que
5 cuando viene alguien de fuera, como vino míster Smith, o ahora
Charlie Barrington, acaban por no poder soportar ...[15]

VELDA. ¿Y supone usted que un hombre honrado lo soporta
mejor creyendo que su mujer es una asesina?

CARLOTA. Claro que sí ... Y si no, fíjese cómo hasta ahora me
10 ha dado resultado ...

CRISTI. Como que[16] estas cosas les entretienen muchísimo a los
hombres.

LILIÁN. Sobre todo cuando creen que si su mujer ha cometido
un crimen ha sido para poder casarse con él ...

15 VELDA. Lo siento mucho, pero no estoy de acuerdo con las
señoras. Y nunca les perdonaré que hayan aconsejado a la señora
cosas que nunca han debido aconsejar. Buenas tardes ... (*Y hace
mutis por la derecha.*)

LILIÁN. Buenas tardes ...

20 CRISTI. Tienes razón ... Es insoportable ...[17] (*Velda asoma
la cabeza por la puerta.*)

VELDA. ¡La insoportable lo es usted! (*Y hace mutis definitivo.*)[18]

CARLOTA. ¿Lo estáis viendo?

CRISTI. Sí. Y escuchando.

25 LILIÁN. Pero sigue contándonos el motivo de tu llamada ...
¿Qué es lo que pasa ahora?

CARLOTA. En realidad, nada ... Todo sigue bien ... Charlie
no deja de vigilarme[19] y de estar pendiente de[20] mí, casi como el
primer día ... ¿No comprendéis que, además de creer que envenené
30 a mi padrino, también sospecha que envenené a John Manning y
al doctor Wats?

LILIÁN. ¿Ah, sí?

CRISTI. ¿Y no fue verdad?

14. absent-minded
15. to endure
16. because
17. unbearable

18. definite
19. watch (over) me
20. dependent on

CARLOTA. ¡Pero qué cosas dices, mujer! Lo que pasa es que dio la casualidad[21] que murieron al día siguiente de decirle lo de mi padrino, y ya no había nadie que muriese en el barrio sin que sospechase de mí.

CRISTI. Desde luego lo debió de pasar divinamente ... 5

CARLOTA. Figúrate, entretenidísimo ... Como que si no toma en casa el té ni apenas come es porque piensa que le voy a echar un poco de veneno ...

LILIÁN. Y todo esto, a la larga[22] ¿no puede resultar un juego peligroso? 10

CARLOTA. En Inglaterra,[23] no, Lilián ... Si viviéramos en otro país quizá encontrase un medio distinto para que mi marido no se aburriese en casa. En Francia ... no sé ... Quizá fingiese tener un amante, que también entretiene mucho a los maridos ... En los Estados Unidos de América ... 15

CRISTI. Eso ¿qué es?

LILIÁN. Otro país que dicen que hay ...

CRISTI. ¡Ah! No sabía ...

CARLOTA. Pues allí ... Bueno, allí no sé ... No conozco las costumbres de esos otros pequeños países que poseemos por el 20 mundo ... Sólo conozco las costumbres del mío ... Y estamos en Londres y somos ingleses. Y ¿qué hay más apasionante para un inglés que un crimen, que un enigma, que una sospecha, que algo turbio[24] y extraño que haga trabajar lentamente su imaginación?

CRISTI. Es verdad ... 25

CARLOTA. Y todo esto sucedió al principio, y le interesó mucho, y lo pasó muy bien, y yo estaba contenta con mi trampa ...[25] Pero ahora creo que empieza ya a aburrirse y que en el fondo siente deseos de[26] que mate a alguien más ... Por eso os he llamado a vosotras ... 30

LILIÁN. ¿Cómo dices?

CARLOTA. Quiero decir que la sospecha que ha sentido esta tarde con motivo del[27] té volverá a interesarle durante algún tiempo ...

21. it happened
22. in the end
23. England
24. confused

25. trick
26. he desires
27. because of the

CRISTI. Tienes razón. Y has hecho muy bien en llamarnos. Una nueva sospecha es lo que le hace falta . . .

LILIÁN. Lo malo, Carlota, es que nosotras no moriremos como John Manning o el doctor Wats.

5 CARLOTA. Bueno . . . ¡Qué le vamos a hacer! . . . El caso es que sospeche, que sufra y que vigile . . . Y que esté pendiente de mí . . .

CRISTI. ¿Y tu amiga Margaret? ¿Sabe algo de esto?

CARLOTA. No. Como viene a casa con frecuencia a hacerme compañía, temo que nada se le pueda escapar . . . Aparte de Velda, 10 sólo vosotras lo sabéis . . . Y a veces me da rabia²⁸ que sepáis demasiado . . .

LILIÁN. ¿Por qué dices eso?

CARLOTA. Por nada. Pero me da rabia. Manías que tiene una . . . Bueno, pero hablemos más de esto y tomemos otra taza de 15 té . . . Voy a llamar a Velda . . .

LILIÁN. Me parece muy bien . . . (*Cristi se ha echado mano a la cabeza, como si sufriese un pequeño mareo.*)²⁹

CARLOTA. ¿Qué te pasa, Cristi?

CRISTI. No sé . . . Pero he sentido un pequeño mareo . . . Algo 20 así como si se me fuese la cabeza . . .³⁰

LILIÁN. Pues yo tampoco me encuentro muy bien . . . (*Y se levanta de la silla.*)

CARLOTA. ¿Es posible?

CRISTI. (*Realmente enferma y asustada.*) Me encuentro fran-
25 camente mal, Carlota . . .

LILIÁN. ¡Yo creo que me voy a caer al suelo! ¡Todo me da vueltas! . . .³¹

CRISTI. ¡Tengo miedo, Carlota! ¿Qué has echado en el té? . . .

CARLOTA. ¿Yo?

30 LILIÁN. ¡Sí! ¡Tú! Nos has envenenado.

CARLOTA. ¡Te juro que no! Pero ¿cómo podéis pensar eso? No es verdad. Y además . . . (*Está en pie y se echa las manos a la frente. Pierde el equilibrio.*) Además yo también me siento muy

28. it makes me furious
29. dizziness
30. my head were coming off
31. whirls

mala . . . ¡pero muy mala! . . . ¡Tengo un gran zumbido[32] en los oídos! . . . ¡Me duele mucho el corazón! . . .

CRISTI. ¡Dios mío!

CARLOTA. ¡No os oigo! ¿Dónde estáis? (*Lilián y Cristi se han sentado y echan sus cabezas sobre la mesa y quedan inmóviles.*)[33] ¡Contestad! ¡Tengo miedo! ¡No! ¡No es posible! ¡Tengo mucho miedo! (*Y también ha caído sobre una silla y queda inmóvil, con la cabeza sobre la mesa. La luz se apaga y durante el oscuro se escucha la voz de Carlota, que dice:*) Treinta de marzo, miércoles . . . Hoy hace más de un mes que vinieron a verme Cristi y Lilián. ¡Pobres amigas mías! Está lloviendo mucho y todo sigue igual. El barómetro sigue bajando . . . (*Al encenderse la luz—que es la misma, puesto que estas escenas pertenecen al pasado—han desaparecido Cristi y Lilián y vemos a Carlota, pensativa, sentada en la banqueta[34] del piano. Por la escalera de caracol sube Charlie, con un periódico en la mano.*)

BARRINGTON. ¿Qué hay, querida? . . .

CARLOTA. Nada . . . Ya ves . . .

BARRINGTON. ¿Qué tal tu corazón? . . .

CARLOTA. Perfectamente. No he vuelto a resentirme . . .[35] (*Y Charlie se sienta en una butaca y bosteza,[36] bastante aburrido.*) ¿Por qué bostezas, Charlie?

BARRINGTON. Tengo un poco de sueño . . . Debe de ser el tiempo . . .

CARLOTA. Quizá . . . Está lloviendo tanto . . .

BARRINGTON. Mucho . . .

CARLOTA. ¿Qué hacías en la farmacia?

BARRINGTON. Nada . . . Fui a buscar el periódico . . . (*Mientras hablan, Charlie ha abierto el periódico y lo está hojeando.*)[37]

CARLOTA. ¿Qué lees?

BARRINGTON. Lo de siempre . . . Las esquelas de defunción.[38]

CARLOTA. ¿Y ha habido algo nuevo?

32. buzzing
33. motionless
34. three-legged stool
35. been weakened
36. yawns
37. looking through
38. obituaries

BARRINGTON. No, nada . . . ¡Hace ya tanto tiempo que no se muere nadie en el barrio! . . .

CARLOTA. Es verdad . . . ¡Qué lata!³⁹

BARRINGTON. ¿Cómo siguen⁴⁰ tus amiguitas?

5 CARLOTA. ¿Cristi y Lilián?

BARRINGTON. Sí.

CARLOTA. Mucho mejor . . . Ya están completamente restablecidas.⁴¹ ¡Pero cada vez que pienso que pudimos morir las tres! . . .

BARRINGTON. En efecto . . . ¡Ya fue suerte salvaros!

10 CARLOTA. Sigo sin comprender cómo pudo romperse la tubería⁴² del gas, así de pronto, y producir aquel horrible escape . . .

BARRINGTON. Ya te dijeron los operarios⁴³ que fue un accidente casual⁴⁴ y normalísimo.

CARLOTA. De todos modos, me pareció tan raro . . .

15 BARRINGTON. Lo fue efectivamente y yo pienso lo mismo . . . ¿No sospechas de Velda?

CARLOTA. ¡Por Dios! ¡Qué cosas dices! . . .

BARRINGTON. ¿Ni de Fred?

CARLOTA. No le creo capaz de cometer un acto semejante, 20 Charlie . . . Y además, ¿a santo de qué iba a hacer ese disparate?

BARRINGTON. Lo digo porque eran las únicas personas que estaban en casa en aquel momento . . . De no ser ellos,⁴⁵ el accidente indudablemente ha sido casual y no tenemos por qué darle más vueltas⁴⁶ a este desagradable asunto. (*Y se levanta.*) Bien. Es tarde 25 ya y debo marcharme . . .

CARLOTA. Te noto un poco preocupado . . .

BARRINGTON. No, en absoluto . . . Lo que me sucede es que estoy harto de⁴⁷ tener que ir a la oficina por las tardes . . .

CARLOTA. ¡Es verdad, Charlie! ¡Qué fastidio!⁴⁸ Antes no ibas . . .

30 BARRINGTON. Como que no tengo obligación de ir . . . Pero el jefe nuevo parece haberme tomado manía y siempre me encarga algún trabajo extraordinario . . .

CARLOTA. Y ¿por qué esa manía, querido?

39. bore	43. workmen	46. to return more
40. How are	44. chance	47. fed up with
41. recovered	45. If it were not they	48. bother
42. pipe line		

BARRINGTON. No es que se trate de una manía personal. Pero padece del hígado,[49] está siempre amargado y tiene un humor de perros.[50] Y todo eso lo pago yo ...

CARLOTA. Entonces ¿ese señor te molesta a ti?

BARRINGTON. Ya lo oyes ... Muchísimo ...   5

CARLOTA. Pues si la culpa de todo la tiene su hígado, lo que hay que procurar es que se cure en seguida el hígado ...

BARRINGTON.· ¡Como si eso fuera tan fácil, Carlota! ...

CARLOTA. Claro que lo es ... Mira: ahora mismo le vas a llevar unas pastillitas[51] que tengo aquí y que son maravillosas para el 10 hígado. (*Y va al* secrétaire, *de donde coge un frasco.*)[52]

BARRINGTON. ¿Unas pastillitas?

CARLOTA. Sí, es una fórmula muy antigua, pero muy buena ... Las hago yo en el laboratorio ...

BARRINGTON. ¡Ah!   15

CARLOTA. Toma. Le llevas estas dos ... Se las das a tu jefe y le dices que se las tome esta noche después de cenar ... Ya verás cómo en seguidita se le quita todo.

BARRINGTON. (*Contento.*) Bueno. Se las daré ... (*Con tono de complicidad.*) ¿Tú crees que con dos tendrá bastante?   20

CARLOTA. De sobra ...[53]

BARRINGTON. Bueno, pues me voy ...

CARLOTA. Adiós, querido. Hasta después ...

BARRINGTON. Adiós, Carlota ... Y muchas gracias ... (*Se apaga la luz. Y se oye la voz de Carlota, que dice:*)   25

CARLOTA. Treinta y uno de marzo, jueves. Sigue lloviendo igual que ayer ... El barómetro sigue bajando ... (*Al encenderse la luz está sola Carlota, sentada en una silla, junto a la mesita del centro. Y sale Charlie de la alcoba poniéndose un impermeable.*)[54]

BARRINGTON. Bueno ... Me voy ya ...   30

CARLOTA. ¿A qué hora es el entierro[55] de tu jefe?

BARRINGTON. A las cuatro en punto ... Y son ya las tres y treinta y cinco ...

49. liver	52. bottle	54. raincoat
50. he is in a bad humor	53. More than enough	55. funeral
51. little tablets		

EXERCISES

I. Make Spanish sentences using the following.
1. echarse a   *to begin to*
2. por favor   *please*
3. desde hace poco tiempo   *for a short while; a short while ago*
4. hacerle cariño   *to caress him*
5. hacerse la ilusión   *to imagine*
6. más vale   *it is better*
7. pensar en   *to think of*
8. le hace falta   *he needs*
9. no tener la culpa   *not to be to blame*
10. ahora mismo   *right now*
11. ponerse   *to put on*

II. Preguntas.
1. ¿Qué tiempo hace?
2. ¿Ha salido bien el experimento de Carlota?
3. ¿Está enterada Velda de todos los secretos de Carlota?
4. ¿Por qué no era John como un par de castañuelas?
5. ¿Puede Carlota continuar una conversación?
6. ¿Les entretienen a los hombres los crímenes?
7. ¿Por qué nunca les perdonará Velda a las señoras?
8. ¿Sospecha Charlie que Carlota envenenó a tres hombres? ¿Cuáles?
9. ¿Por qué no toma en casa el té ni apenas come Charlie?
10. ¿Cuáles son las costumbres de Inglaterra según Carlota?
11. ¿Qué le hace falta Barrington?
12. ¿Sabe Margaret los secretos de Carlota?
13. ¿Qué tienen Lilián, Cristi y Carlota?
14. ¿Cuánto tiempo hace que Cristi y Lilián vinieron a ver a Carlota?
15. ¿Qué lee Charlie en el periódico?
16. ¿Qué enfermedad tiene el jefe de Barrington?
17. ¿Sospecha Carlota que alguien rompió la tubería de gas?
18. ¿Cómo siguen las amiguitas de Carlota?
19. ¿Qué fecha es ahora?
20. ¿A qué hora es el entierro del jefe de Barrington?

angustia anguish	**espantoso, -a** frightful
beneficiar to benefit	**maldito, -a** cursed, damned
castigar to punish	**mentir** to lie
casualidad *f.* chance, coincidence	**el sentido** the meaning
despacio slowly	**sorpresa** surprise
no engañarse not to be mistaken	**suplicar** to beg, supplicate

CARLOTA. Pobre señor, ¿eh?

BARRINGTON. Hasta cierto punto, Carlota . . . Su muerte es lamentable, desde luego; pero a mí en concreto, me beneficia . . . Es muy posible que su puesto me lo den a mí . . .

CARLOTA. Vaya, me alegro . . .   5

BARRINGTON. Todo depende de que no se oponga el administrador. ¡Si vieras qué antipático me cae a mí el administrador! . . .

CARLOTA. ¿Ah, sí?

BARRINGTON. Sí. Muy antipático. (*Con intención.*) ¡Ah! Y padece mucho del estómago . . .   10

CARLOTA. ¡Vaya por Dios! . . .

BARRINGTON. (*Otra vez en tono de complicidad.*) ¿Tú no sabes de ninguna medicina buena para el estómago?

CARLOTA. (*Comprendiendo el sentido, y asustada.*) No . . . ¿Por qué lo dices?   15

BARRINGTON. No, por nada . . . Pero si pudiese llevarle alguna cosa que aliviase, quizá, en prueba de agradecimiento . . .

CARLOTA. Claro, lo comprendo . . . Pero para el estómago no tengo nada especial . . . Lo siento . . .

BARRINGTON. No tiene importancia . . . Bueno, me voy al en- 20 tierro . . . Hasta después, querida . . .

CARLOTA. Hasta después . . . (*Con las últimas frases, Velda ha entrado en escena por la puerta de la derecha y cruza la escena en*

dirección a la alcoba con una bandeja[1] de ropa blanca. Al hacer
mutis Barrington, Carlota se echa a llorar.) ¡Ay, Dios mío! ¡Qué
desgracia! ¡Qué desgracia tan grande!

    VELDA. ¿Otra vez con sus llantos,[2] señora?

5   CARLOTA. ¿Pero no lo ha oído usted? ¿No ve que lo que pretende
es que yo termine con toda la banca[3] de Londres? ¡Tengo mucho
miedo, Velda! ¡Se ha enviciado[4] en el crimen, el tío![5]

    VELDA. ¿Pero qué clase de pastillas le dio usted para su jefe?

    CARLOTA. Ya se lo he dicho, Velda . . . Unas que son buenísimas
10 para el hígado y que yo he tomado infinidad de veces cuando
padecía de hepatitis . . .

    VELDA. ¿Y cómo ha muerto entonces?

    CARLOTA. ¡Y yo qué sé, Velda! ¡Hace un rato que he analizado
las pastillas y el frasco en el laboratorio, por si alguien las había
15 cambiado . . . Pero no hay ningún cambio . . . No contienen ningún
veneno . . . ¡Son inofensivas, Velda! . . . Y a pesar de todo, seis
horas después de tomarlas, ese hombre murió . . .

    VELDA. ¡Todo habrá sido casual, señora! . . .

    CARLOTA. ¡Son ya muchas casualidades, señora Manning! Porque
20 también murió su pobre marido después de las pastillas que le di,
y el doctor Wats, al día siguiente de tomar una taza de té que yo le
preparé . . . ¡Y tengo miedo! ¡Estoy horrorizada, y me voy a volver
loca! . . .

    VELDA. ¿Y si una persona que no es usted es la responsable de
25 todo esto?

    CARLOTA. Lo he pensado también, pero he llegado a la conclu-
sión de que es imposible . . . Incluso he sospechado de usted,
Velda . . .

    VELDA. ¡Señora!

30   CARLOTA. No se ofenda, pero es así . . . Y de Fred Sullivan . . .
Y hasta de mi propio marido . . . Pero en ninguno de estos acci-
dentes, ni ellos ni usted, intervinieron de una manera directa y ni
siquiera estuvieron presentes . . .

1. tray
2. crying
3. banking
4. He has become corrupted
5. fellow

VELDA. ¡Dios la está castigando por haberse fingido asesina, señora Barrington! . . .

CARLOTA. Tiene usted razón, Velda . . . Debo de estar embrujada . . .[6] Pero ¿qué puedo hacer ahora? Porque lo malo no son estas terribles cualidades . . . Lo malo es que cada vez que una 5 persona le cae un poco antipática al señor Barrington, me dice que está enferma de algo y que por qué no le doy unas pastillitas para que se alivie . . . ¡Y una cosa era procurar que no se aburriese demasiado junto a mí, y otra muy distinta que me crea el verdugo[7] de Londres! . . . 10

VELDA. ¡Calle! ¿No oye? (*Y Velda se aproxima a la escalera de la farmacia, en donde se escucha una discusión entre dos personas.*)

CARLOTA. Sí. Es la voz de miss Margaret . . .

VELDA. Está discutiendo con Fred Sullivan . . . (*Y Carlota va hacia la escalera, y llama:*) 15

CARLOTA. ¡Margaret!

VOZ DE MARGARET. Voy ahora mismo, Carlota . . .

VELDA. ¿Puedo retirarme, señora?

CARLOTA. Sí, Velda . . . Y prepare un poco de té . . .

VELDA. Está bien, señora . . . (*Y Velda hace mutis por la puerta* 20 *de la derecha, casi al mismo tiempo que Miss Margaret sube por la escalera de la farmacia.*)

MARGARET. Hola, Carlota; buenas tardes . . . He entrado en la farmacia a comprar unas aspirinas porque mis jaquecas continúan y estoy desesperada . . . ¡Desesperada de verdad! ¡Es horrible lo que 25 a mí me pasa! . . . ¿Hasta cuándo voy a continuar así, con estos constantes sufrimientos, que van a terminar conmigo?

CARLOTA. ¿No te sientas un poco?

MARGARET. Sí, gracias, Carlota . . . (*Y se sienta.*)

CARLOTA. ¿Estabas discutiendo con Fred? 30

MARGARET. ¿Yo con Fred? ¿Quién te ha dicho eso? ¿Por qué iba a discutir?

CARLOTA. Me había parecido . . .

MARGARET. (*Inquieta.*) ¿Es que has oído algo? ¡Contesta, por favor! 35

6. bewitched   7. executioner

CARLOTA. Sí, claro . . . Desde aquí arriba se oye casi todo . . .

MARGARET. En ese caso no puedo ocultarte la verdad . . . Efectivamente, discutíamos porque se empeña en continuar unas relaciones amorosas que yo he dado por terminadas . . . ¿Por qué razón
5 un hombre cree tener derecho sobre una mujer que le ha querido un poco? ¿Por qué no comprende que, si le he dejado de querer, ya todo es inútil? ¡Es terrible que sean así los hombres! . . . ¡Y por eso los aborrezco cada vez más! . . .

CARLOTA. Lo que te ocurre es que nunca te has enamorado
10 verdaderamente . . .

MARGARET. ¿Estás segura?

CARLOTA. Claro que lo estoy . . . De lo contrario . . ., los encontrarías maravillosos . . .

MARGARET. (*Con una tristeza patética.*) ¡Maravillosos! A veces
15 sí que los encuentro maravillosos y con poder extraño sobre mí . . . Con una fuerza subyugadora[8] que me domina y me deja débil y pequeña a su lado . . . Por eso los temo, y el temor hace que los odie . . .

CARLOTA. Tus jaquecas no me extrañan nada . . . Eres dema-
20 siado cerebral . . .

MARGARET. ¿Y tú no lo eres?

CARLOTA. Bueno, sí . . . Quizá también lo sea, pero no hasta ese extremo.

MARGARET. ¿Tú eres feliz con tu marido?

25 CARLOTA. Sí.

MARGARET. ¡No mientas! ¡No es verdad!

CARLOTA. ¿Por qué no iba a serlo?

MARGARET. A veces me he puesto a pensar y he imaginado . . . Pero pueden que sean figuraciones mías . . . ¿Y el sargento Harris?
30 ¿Qué te parece el sargento Harris?

CARLOTA. (*Extrañada.*) ¿A qué viene preguntarme por[9] Harris?

MARGARET. ¿Y por qué no he de preguntarte? Y si te lo pregunto, ¿por qué no contestas? Somos amigas íntimas y todo nos sorprende . . . Una pregunta, una palabra, una confidencia . . . ¿Tú

---

8. subjugating   9. asking about

crees que se puede vivir así, sola siempre, sin confianza con nadie? ¡Sin poder preguntar y sin poder saber!... ¡Soy terriblemente desgraciada!...

CARLOTA. ¡Estás muy excitada, Margaret! (*Y por la escalera de la farmacia sube Fred Sullivan, también muy excitado.*) 5

FRED. Tenemos que volver a hablar, miss Margaret...

MARGARET. ¡No! No tenemos nada que hablar... Todo ha terminado entre nosotros...

CARLOTA. Vamos, Fred... Debe usted dejarla tranquila... Está un poco nerviosa esta tarde. 10

FRED. ¡Cállese usted, señora Barrington! Porque si ella ha dejado de quererme, ha sido por su causa.

CARLOTA. ¿Por qué dice eso?

FRED. Porque usted le habla mal de mí... Y lo hace porque está desairada...[10] 15

CARLOTA. ¿Desairada de qué?

FRED. Cuando se quedó viuda de su primer marido, usted se fijó en mí, porque soy guapo... Suponía que yo estaba enamorado de usted, y que podría casarse conmigo para no estar sola, porque le da miedo la soledad de esta maldita casa... Pero al darse cuenta 20 de que no la quería, empezó a odiarme y su venganza ha sido hablar mal de mí a miss Margaret, para que me dejase...

CARLOTA. ¡Eso es estúpido, Fred!... ¡Está usted mintiendo!...

MARGARET. ¡La señora Barrington jamás me ha hablado mal de usted! ¡Es falso cuanto dice! 25

FRED. ¡Lo digo y lo sostengo! ¡Y la cosa no va a quedar así, se lo aseguro!...

CARLOTA. (*Digna y autoritaria.*)[11] Haga el favor de volver a su puesto, míster Sullivan... Y ya hablaremos más despacio... Hoy está usted un poco exaltado. Vamos, váyase... 30

FRED. Me iré, señora Barrington... Pero no olvide lo que he dicho... Buenas tardes... (*Y Fred hace mutis por donde entró.*)

CARLOTA. ¡Está loco este chico!

MARGARET. Sí. Y miente...

10. unsuccessful   11. Dignified and authoritative.

CARLOTA. Ya lo sé...

MARGARET. Siento lo ocurrido, Carlota...

CARLOTA. No debes preocuparte... Lo que ha dicho es inconveniente y muy molesto. Pero al no ser[12] verdad, no me preocupa lo
5 más mínimo... Lo que sí me preocupa y lo que quisiera saber es por qué motivo le has dejado...

MARGARET. ¡Eso no te incumbe,[13] Carlota!

CARLOTA. (*Extrañada por el tono tajante*[14] *de su amiga.*) ¡Margaret! (*Y aparece Velda por la derecha, con un servicio de té.*)

10 VELDA. El té, señora...

CARLOTA. Tomarás una taza de té, ¿verdad?

MARGARET. (*Se levanta horrorizada.*) ¡No! ¡El té, no! ¡Ese té, no!...

CARLOTA. ¡Pero, Margaret!...

15 MARGARET. ¡No! ¡Te lo suplico! ¡No quiero ese té de la señora Manning! ¡Por favor! ¡No quiero tomarlo! ¡No quiero tomarlo!
(*Y va retrocediendo asustada, mientras cae el telón, que se alza inmediatamente. Y en escena vemos a Charlie Barrington, a Velda Manning, a Douglas Hilton y a su ayudante Bill.*)

20 DOUGLAS. Y esto es, en resumen, todo cuanto hemos encontrado en el diario de su esposa, míster Barrington... ¿Qué opina ahora de esos crímenes imaginarios que tanto le han llegado a torturar?...

BARRINGTON. ¡Pero todo esto es horrible, míster Hilton! Y usted, Velda..., ¿cómo no me lo dijo?

25 VELDA. No podía desobedecerla... La señora me lo tenía prohibido...

BARRINGTON. ¿Cómo no me enteré siquiera de la existencia de ese diario?

VELDA. Lo llevaba en el mayor secreto... Sólo lo sabíamos la
30 señora y yo... ¡Siempre pensé que hacía mal al no darle cuenta de todo!

BARRINGTON. (*Destrozado,*[15] *sin fuerzas.*) ¡Es terrible que me hayan mentido de esta forma![16]

12. because of not being	15. shattered
13. does not concern you	16. way
14. cutting	

DOUGLAS. Lo verdaderamente terrible es que hayan asesinado a la señora Barrington delante de mis propias narices[17] y que todavía no sepamos quién es el asesino . . . Por lo demás, su esposa, igual que miss Margaret, era una pobre enferma de histerismo, enfermedad muy extendida[18] en nuestro país . . . Y parece mentira que 5 usted no lo comprendiese desde el primer momento . . .

BARRINGTON. ¡Pero la noche de nuestra boda, ella me dijo con tal aire de sinceridad y de angustia lo del envenenamiento de su padrino! . . . Y después fue la muerte de John Manning y el doctor Wats . . . 10

BILL. Usted, míster Barrington, está impresionado, y lo que fue una casual y triste coincidencia, supuso que eran nuevos crímenes . . .

DOUGLAS. Y hasta, según parece, empezó a tomarle el gusto a estas diabluras[19] de su mujer . . .

BARRINGTON. ¡Eso no es verdad! ¡Carlota estaba equivocada al 15 afirmar eso en su diario! Yo sólo quería saber si ella seguía eliminando a la gente que le molestaba. Quería persuadirme de sus crímenes, que en el fondo me resistía a creer . . . ¡Usted no puede imaginarse lo que significan dos años en esta constante tensión de nervios! . . . ¡Dos años sin vivir, pendiente de ella, noche y día! 20

DOUGLAS. En resumidas cuentas,[20] ella se salió con la suya.[21] ¡Le entretuvo a usted de un modo admirable! . . .

BARRINGTON. ¡No debió hacer esto, míster Hilton! ¡Nunca debió hacer esto conmigo! . . . Y le aseguro que si la sorpresa de su muerte ha sido para mí algo espantoso, esta sorpresa de su mentira estúpida 25 es mucho más espantosa aún . . .

DOUGLAS. Las mujeres son capaces de todo para conseguir el amor de un hombre . . .

BARRINGTON. ¡Pero no había necesidad! Yo estaba enamorado de ella . . . Yo me casé porque la quería, y aun después de su con- 30 fesión de la primera noche de casados la seguí queriendo también . . . ¿Es verdad, Velda?

VELDA. Sí, señor . . . Siempre lo he creído así . . .

DOUGLAS. Yo tampoco lo dudo, míster Barrington . . . Pero lo

17. eyes (literally nose)   20. In short
18. general   21. had her own way
19. deviltries

pasado ya no cuenta y sólo cuenta lo presente. Y lo presente es que su esposa ha sido asesinada. Usted, Bill, dio antes en el clavo al sugerir que la clave[22] del enigma estaba en aquella frase de cansancio que pronunció la señora Barrington . . . Y se ha demostrado
5 que por librar a su esposo de este cansancio, que ella misma sentía, inventó su crimen fantástico en colaboración con sus ridículas amigas . . .

BILL. Exactamente, míster Hilton . . .

DOUGLAS. Pero no nos basta con esto, Bill. Ahora hay que descu-
10 brir quién asesinó a la señora Barrington . . .

BILL. Estoy seguro de que usted ya lo sabe, maestro . . . Además, es fácil y sencillo . . . Sólo puede ser una persona . . .

DOUGLAS. No se engaña usted, Bill . . . Lo sé perfectamente. Es indudable que sólo puede ser una persona . . . ¿Pero cuál?

15 BILL. Eso ya es más difícil . . . A la señora Manning hay que descartarla,[23] ya que está demostrado que estuvo en una clínica desde dos horas antes de cometerse el crimen . . .

DOUGLAS. De acuerdo, descartada . . . Y le ruego, señora, que se vaya usted un rato a descansar . . . Ha sufrido usted demasiadas
20 emociones fuertes . . . Si la necesitamos, ya la haré venir . . .

VELDA. Gracias, señor . . .

DOUGLAS. A usted, señora Manning, por su valiosa[24] ayuda . . . Buenas noches . . .

VELDA. Buenas noches, señores. (*Y hace mutis por la derecha.*)

25 BILL. Velda Manning, descartada; al menos, de momento . . .

DOUGLAS. ¿De momento?

BILL. ¿Me deja usted seguir?

DOUGLAS. Sí, claro . . . Siga usted.

BILL. El sargento Harris y míster Barrington no han podido ser
30 de ningún modo . . .

BARRINGTON. ¿Es que ha sospechado alguna vez[25] de mí?

BILL. ¿Por qué no? También usted sospechó de mí . . .

22. hit the nail on the head before
in suggesting that the key
23. eliminate

24. valuable
25. ever

BARRINGTON. En una ocasión mi mujer habló de un hombre defectuoso[26] que estuvo una noche en la farmacia . . .

BILL. Defectuoso, no . . . Jorobado. Pero como yo hay otros muchos jorobados en Londres, cuya joroba[27] les pesa tanto en las espaldas, que prefieren no tener otro peso en la conciencia . . .   5

DOUGLAS. En nuestra profesión hay que sospechar de todo el mundo, porque de lo contrario no tendría gracia;[28] ¿no lo comprende, míster Barrington?

BARRINGTON. Sí, claro . . . Perdón . . .

DOUGLAS. Siga, Bill . . .   10

BILL. Decía que ninguno de los dos pudieron cometer el crimen, ya que ambos estaban hablando con usted en la calle, mientras que la señora Barrington, en su casa, y aún viva, tocaba en el piano «El pequeño vals». Pero nos quedan otras cuantas personas . . . Por ejemplo, miss Margaret . . .   15

BARRINGTON. ¿Miss Margaret? ¿Y qué motivos tenía ella para . . .?

DOUGLAS. Entre gentes histéricas no hay que buscar nunca los motivos, porque el único motivo es el propio histerismo . . . Pero, sin embargo, según sargento Harris, que es su prometido . . .

BARRINGTON. ¡Ah!   20

DOUGLAS. ¿Lo sabía usted ya?

BARRINGTON. No.

DOUGLAS. Parece que lo llevan en secreto . . .

BARRINGTON. Por eso, entonces, no estaba enterado . . .

DOUGLAS. Es verdad, claro . . . Bien. Pues como le decía, según   25
el sargento Harris, que es su novio, miss Margaret se fue a una fiesta con unos amigos a eso de las cinco y aún no ha vuelto . . . El propio Harris ha ido a buscarla y cuando venga nos dará su versión, que puede ser interesante . . .

BARRINGTON. ¡Y queda también Fred! El fue el último en salir   30
de esta casa . . . ¡Y no se le ha encontrado por ninguna parte! . . .

DOUGLAS. En efecto . . . Según la señora Manning, cuando ella se fue de paseo, escuchó un grito que daba la señora . . . Y Fred estaba en la farmacia . . .

26. defective   28. it would not be funny
27. hump

EXERCISES

I. Translate the following sentences.
1. A pesar de todo, murió el tío.
2. —Me vuelvo loco—se dijo.
3. En resumen, todos los crímenes son imaginarios.
4. Hacía mal en no darle cuenta de todo.
5. Todo cuanto halló en el diario era verdad.
6. Parece mentira que yo no lo supiera en seguida.
7. Estaba de acuerdo que podía ser solamente una persona.
8. Me quedan otras cuantas personas.
9. ¿Ha sospechado alguna vez de Bill?
10. Escuché un grito antes de irme de paseo.

II. Preguntas.
1. Nombre usted unas partes del cuerpo humano.
2. ¿Tiene Carlota algo para la enfermedad del estómago?
3. ¿Eran buenísimas las pastillas que Carlota envió al jefe de Barrington?
4. ¿Era posible que otra persona fuera responsable de todo eso?
5. ¿Por qué entró Margaret en la farmacia?
6. ¿Qué discutía Margaret con Fred?
7. ¿Es feliz Carlota con su marido?
8. ¿Por qué, según Fred, habló mal Carlota de él?
9. ¿Podía saber Carlota por qué Margaret dejó a Fred?
10. ¿Tomaría el té Margaret? ¿Qué dijo del té?
11. ¿Cómo era Barrington después de saber que los crímenes eran imaginarios?
12. ¿Cuál es la clave del enigma?
13. ¿De quiénes sospechan como el asesino?
14. ¿A quiénes pueden descartar como el asesino?

Learn this vocabulary before you read pages 93-101.

afición *f.*   interest, fondness
culpable   guilty
descuido   neglect
habilidoso, -a   skillful, clever
hacer una pregunta   to ask a
  question
herir   to wound

hombro   shoulder
húmedo, -a   moist, wet
necio, -a   silly, stupid
prevenir   to warn
simple   simple; half-witted; silly
el sonido   the sound
suspiro   sigh

———————⧓———————

BILL.   Y desde entonces falta un revólver que alguien cogió de ese cajón . . .

DOUGLAS.   Pero ¿A qué coger un revólver si la estranguló con un cordón de seda?

BARRINGTON.   Pudo ser para evitar que fuese oída la detonación ₅ . . . Si vio desde el balcón que Harris estaba en la calle, como suele estar siempre . . .

BILL.   No está mal observado . . .

DOUGLAS.   Y es lógico, además.

BILL.   Primero cogió el revólver para matarla y después, al ver a ₁₀ Harris, cambió de idea . . . Y sin darse cuenta, metió el revólver en su bolsillo y salió con él . . .

BARRINGTON.   Con lo cual está explicado el robo de la caja . . . El, mejor que nadie, sabía el dinero que contenía . . . Y en este caso podía tratarse de una importante cantidad . . .   ₁₅

BILL.   A mí, indudablemente, ese Fred Sullivan no me ha caído simpático jamás . . .

DOUGLAS.   Ni a mí tampoco . . . Y si le digo la verdad, desde el primer momento, siempre he pensado que Fred Sullivan es el verdadero culpable . . . ¿Sabía Fred que yo iba a venir esta noche?   ₂₀

BARRINGTON.   No. Es el único que lo ignoraba . . .

DOUGLAS. Entonces, no hay duda... Ahora lo que hace falta[1] es que le pesquemos la policía...[2] ¿Pero cómo es posible que tarde tanto en venir el juzgado? Hace hora y media que estamos esperando... (*Por la derecha entra el sargento Harris.*)

5 HARRIS. ¿Se puede entrar, míster Hilton?

BARRINGTON. Pase, sargento...

HARRIS. Abajo espera miss Margaret...

DOUGLAS. ¿Estaba en el baile?

HARRIS. Sí, señor.

10 DOUGLAS. ¿La ha interrogado usted?

HARRIS. No, señor... Sólo le he dicho lo que ha sucedido... Como es natural, está desolada.

DOUGLAS. Bien. Hágala subir...

HARRIS. Hay otra noticia, míster Hilton... Acaba de venir un
15 agente para darme cuenta... Y me ha traído esto... (*Y saca un revólver.*)

DOUGLAS. ¿Qué es eso?

HARRIS. El revólver de la señora Barrington...

DOUGLAS. ¡Caramba! (*A Charlie.*) ¿Era éste el revólver?

20 BARRINGTON. Sí. Este...

DOUGLAS. ¿Dónde lo encontró?

HARRIS. Junto al cadáver de Fred Sullivan... Es el que ha empleado para suicidarse...

DOUGLAS. ¿Cómo dice?

25 BARRINGTON. ¡No es posible que se haya suicidado!...

HARRIS. Lo es, señor... Al salir esta tarde de aquí dos horas antes de cometerse el asesinato de la señora Barrington, fue a casa de un amigo, desesperado...

DOUGLAS. ¿Ha prestado declaración[3] ese amigo?

30 HARRIS. Está en la jefatura[4] y se sabe todo por él... Fred le habló de sus dificultades amorosas con miss Margaret y le dijo que había robado la pistola de misis Barrington con intención de suicidarse. El amigo trató de disuadirle de la idea y se le llevó por ahí

---

1. is necessary
2. the police and I pick him up
3. has offered a statement
4. chief (of police) office

con otros compañeros. Estuvieron juntos bebiendo, y hace poco, cuando ya le creían calmado, sacó el revólver en un momento de descuido y se disparó un tiro[5] en el corazón. Murió en el acto.[6] Puede usted comprender mi estado de ánimo,[7] ya que, a causa de mis relaciones con miss Margaret, me considero un poco cul- 5 pable...

DOUGLAS. Lo siento, Harris... ¿Lo sabe ella?

HARRIS. Sí. He preferido no ocultárselo.

DOUGLAS. Bien... Tenga la bondad de[8] hacerla subir...

HARRIS. Sí, míster Hilton... (*Y hace mutis por la derecha.*) 10

BILL. (*Con un suspiro.*) ¡Fred Sullivan, descartado!...

DOUGLAS. En efecto. El único sospechoso auténtico ya ha dejado de serlo... ¡Qué poquitos vamos quedando, míster Barrington!

BARRINGTON. ¿Por qué dice usted eso? Me molesta ese tono que emplea conmigo... 15

DOUGLAS. Perdone usted. Pero es el tono que emplea la policía, justamente para molestar. (*Y entra Margaret por la derecha, seguida de Harris. Está abrumada.*)

MARGARET. Buenas noches, señores. (*Y al ver a Barrington va hacia él, y le dice con los ojos húmedos:*) ¡Oh míster Barrington! 20 ¡Estoy desesperada! Harris me lo ha contado todo... ¡Pobre Carlota!

BARRINGTON. Sí, miss Margaret... ¡Pobre Carlota!

MARGARET. ¡Usted sabe que yo la quería tanto! ¡Si hubiese venido a pasar la tarde con ella, como pensé al principio! ¿Pero 25 cómo ha podido ser?

BARRINGTON. Todo es inexplicable... Y la desorientación que tengo yo, es la misma que tiene la policía... Si se encontrase una pista[9] lógica...

DOUGLAS. Siéntese, miss Margaret... Y tenga la bondad de 30 contestar a mis preguntas... Durante el día de hoy, ¿no vio usted a la señora Barrington?

MARGARET. ¡No! Hoy, no... Nos visitábamos con frecuencia, pero no diariamente...

5. he shot himself
6. at once
7. mind

8. Please
9. clue

DOUGLAS. ¿A qué hora fue usted a esa fiesta de donde la ha traído el sargento Harris?...

MARGARET. A eso de las cinco ... Vinieron a buscarme unos amigos con los que había quedado comprometida ...[10] Fui un
5 poco a disgusto[11] porque a Harris no le gustaba ... Perdón ... Debo confesarle que sostengo relaciones amorosas con él, aunque hasta ahora no lo he dicho a nadie. Pero en estas circunstancias, creo que no debo ocultar nada, y menos a la policía ...

DOUGLAS. ¿Cómo ha estado allí hasta tan tarde?

10 MARGARET. Yo quería volver antes, pero mis amigos no me dejaban marchar sola. Deseaban acompañarme a casa, y allí estaba esperando hasta que ellos se decidiesen a regresar.

DOUGLAS. ¿Sabía usted que míster Barrington sospechaba que su esposa había envenenado a varias personas, entre ellas a su padre
15 de usted, el doctor Wats?...

MARGARET. ¡No! ¡Qué atrocidad! ¿Por qué sospechaba eso míster Barrington? ¿Y por qué lo iba a saber yo?

DOUGLAS. ¡Está usted mintiendo, señorita! Usted lo sabía. ¡Se lo dijo ella!

20 MARGARET. ¿Cómo iba a decirme una cosa así?

DOUGLAS. En ese caso se lo dijo míster Barrington ... o la señora Manning ... Y usted tenía miedo de que también la envenenase. ¿Por qué un día, horrorizada, se negó a tomar el té que le ofrecía su amiga?...

25 MARGARET. Me acuerdo perfectamente de ese día ... Estaba muy nerviosa porque había tenido una discusión con Fred Sullivan ... Pero yo no tenía miedo de Carlota, sino de Velda Manning, que también estaba enamorada de Fred y que me odiaba ... ¡Siempre me ha odiado Velda!...

30 DOUGLAS. ¿Es cierto eso, Harris?

HARRIS. No lo sabía, señor ... Pero está dentro de lo posible ...

DOUGLAS. Y usted, míster Barrington, ¿qué dice a esto?

BARRINGTON. Será verdad, cuando lo asegura miss Margaret ... No me he ocupado nunca de los amores de la señora Manning ...

35 BILL. ¡Qué extraña cosa ésta, míster Hilton!

DOUGLAS. Ahora resulta que Velda, que estaba descartada ...

10. occupied   11. against my will

BILL.   La cosa se complica,[12] jefe . . .

BARRINGTON.   La complican ustedes porque se empeñan en buscar dificultades, cuando todo es sencillo . . . Un maleante[13] cualquiera ha entrado para robar la caja de la farmacia; y al ser sorprendido por mi esposa, la ha matado . . . Todo es simple y 5 sencillo . . . Pero en lugar de buscar al asesino, ustedes insisten en hacer preguntas necias que no conducirían a ninguna parte.

DOUGLAS.   (*Da con la mano un golpe en la mesa.*) ¡Basta ya de historias, míster Barrington! Antes de saberse que Velda Manning había sufrido un accidente, usted me hizo sospechar de Velda Man- 10 ning. Antes de decirle que Bill era mi ayudante usted me hizo sospechar de mi ayudante Bill . . . Antes de la noticia del suicidio de Fred Sullivan, usted me hizo sospechar de Fred Sullivan . . . Y ahora me quiere usted hacer sospechar de un pobre maleante . . . ¿Y sabe usted con qué idea?   15

BARRINGTON.   No entiendo . . .

DOUGLAS.   Con la idea de que no sospeche de usted, que es el único que podía tener interés en matarla.

MARGARET.   ¡Pero eso es absurdo! ¡Pobre míster Barrington!

HARRIS.   Míster Barrington no ha podido ser, usted lo sabe . . . 20

BARRINGTON.   Hablábamos los tres en la calle mientras mi mujer tocaba el piano . . .

DOUGLAS.   Sí. Eso sí es verdad . . . ¡Ese condenado piano me lo estropea todo! . . .

BILL.   No sabemos que la señora Barrington tocase el piano, 25 míster Hitlon . . . Sólo sabemos que sonaba un piano . . .

BARRINGTON.   ¿Y no es lo mismo?

BILL.   No . . . Ni mucho menos.[14]

DOUGLAS.   ¿Qué quiere usted decir?

BILL.   ¿Olvida usted que míster Barrington tenía una marcada 30 afición por la relojería?[15]

DOUGLAS.   Bueno, ¿y qué?

BILL.   Usted es sagaz . . .[16]

DOUGLAS.   Sí, claro . . . Tengo fama de eso, pero . . .

12. is complicated
13. villain
14. Nor anything like it
15. clockmaking
16. keen-witted

BILL. Existen discos de fonógrafo que tienen impresionadas[17] piezas de piano . . . Y desde la calle hemos podido oír, no el piano que tocaba la señora Barrington, sino un disco de piano que funcionaba en el fonógrafo . . .

5 DOUGLAS. ¡Es cierto, Bill! ¿Cómo no se me ha ocurrido antes? ¡Ahora todo está claro! . . . (A *Barrington*.) Y usted, señor mío, fabrica un instrumento de relojería que adapta en el fonógrafo y que automáticamente pondrá en marcha[18] el disco a una hora determinada. Entra, mata a su esposa y después se va . . . Y el disco 10 sonará cuando estemos todos hablando en la calle . . . ¡Ah! ¡Muy habilidoso! ¡Extraordinariamente habilidoso!

BARRINGTON. ¡No es verdad! ¡Soy inocente! ¡Juro que soy inocente! . . .

MARGARET. ¡No debe temer nada! ¡Todo se pondrá en claro![19]

15 HARRIS. Pero ¿y el fonógrafo, míster Hilton? Usted registró la casa y no encontró nada . . .

BILL. Registramos todo, menos esta habitación . . .

DOUGLAS. Es cierto . . . (Y *recorre la habitación con la mirada*.) Y el fonógrafo . . . ¡Ah! ¿No ve ese viejo mueble, con celosía,[20] por 20 la cual puede salir el sonido? ¡El fonógrafo está allí!

BARRINGTON. ¡Juro que soy inocente!

DOUGLAS. ¡Abra ese mueble, Harris! (*Harris abre el armario con celosía que hay en el fondo, entre los dos balcones*.)

HARRIS. Aquí no hay nada.

25 DOUGLAS. ¿Nada?

HARRIS. Bueno, sí. Sólo hay un loro . . .[21] (Y *lo saca y se lo da a Douglas*.)

BILL. ¡El loro ha podido imitar el concierto de piano! . . .

BARRINGTON. ¡Ese loro está disecado[22] y mi mujer lo guardaba 30 ahí porque no sabía dónde meterlo! . . .

DOUGLAS. (*Con el loro en la mano*.) Es verdad. Está bastante disecado.

BILL. Ha podido entrar alguien y llevarse el fonógrafo después . . .

17. recorded
18. will start
19. will be made clear
20. openwork
21. parrot
22. stuffed

DOUGLAS. No, Bill . . . Entré inmediatamente con míster Barrington. Y de aquí no nos hemos movido . . . Su idea del fonógrafo no ha sido muy acertada . . .[23] ¿Por qué no se va a su casa a dormir un ratito? Debe usted tener sueño, hijo mío. (*Y le da el loro disecado.*)

BILL. Sí. Un poco . . .

DOUGLAS. Pues a descansar . . . Y a ver si mañana se levanta más despejado . . .[24]

BILL. Haré lo posible. ¿No manda otra cosa?

DOUGLAS. No. Gracias por sus servicios . . .

BILL. Buenas noches, señores . . . (*Y hace mutis, llevándose al loro.*)

DOUGLAS. (*Sin poder ocultar su fracaso,[25] habla tímidamente.*) A veces, el mejor policía sufre errores inevitables y se deja llevar por estados de ánimo equivocados . . . Y yo me voy a marchar también, porque la verdad es que se me ha hecho un poco tarde . . . Usted, Harris, espere al comisario[26] y al juzgado a ver si ellos tienen más suerte . . . Y usted, míster Barrington, perdóneme si en algún momento he creído en su culpabilidad . . . En cuanto a usted, señorita, también le pido mil perdones por haberla molestado . . . (*Y al ir a darle la mano,[27] se fija en algo que Margaret lleva[28] sobre un hombro de su vestido.*) ¿Qué es esto?

MARGARET. ¡Ah! Debe de ser de la fiesta de donde vengo . . . Había cotillón,[29] con serpentinas y esas cosas . . .

DOUGLAS. (*Triunfal.*) ¡Es curioso! ¡Un minúsculo[30] pedacito de papel verde, igual a[31] otro minúsculo pedacito de papel verde que encontré antes en la alfombra de este gabinete! ¿Por qué me ha mentido usted, miss Margaret?

MARGARET. ¿Yo?

DOUGLAS. ¡Sí! ¡Usted ha estado aquí! ¡Usted ha asesinado a la señora Barrington! . . .

MARGARET. ¡No! ¡No es verdad!

HARRIS. ¡No sabe usted lo que se dice!

DOUGLAS. ¡Calle usted, sargento!

23. wise	26. deputy	29. dance
24. clearheaded	27. to shake hands	30. small
25. failure	28. has	31. like

BARRINGTON. ¡Procure no equivocarse de nuevo, míster Hilton!

DOUGLAS. Esta vez no estoy equivocado ... Usted, señorita, ha salido de ese baile donde estaba, ha venido aquí y un pequeño confeti como éste ha caído en el suelo ... ¡Confiese usted todo, 5 miss Margaret, o en caso contrario la mandaré encerrar![32]

MARGARET. ¡Yo no soy culpable de nada! ...

DOUGLAS. ¿A qué vino usted entonces? (*Y Margaret, acongojada, se echa a llorar.*) ¡Vamos, no llore ahora! ¡Sus lágrimas no van a conmoverme! ...

10 HARRIS. Yo le pido, por favor ...

DOUGLAS. ¡Déjeme usted en paz!

MARGARET. Sal de aquí, Harris; te lo suplico ...

HARRIS. ¡No!

MARGARET. Lo que pueda decir va a causarte daño, y no quiero 15 herirte ... Eres bueno y noble ...

HARRIS. ¡Pero, Margaret! ...

DOUGLAS. Le ordeno que salga, sargento ...

HARRIS. A sus órdenes ...[33]

MARGARET. Gracias, Harris ... (*Y Harris hace mutis por la* 20 *derecha. Hilton le acompaña y cierra la puerta.*)

DOUGLAS. Y bien ...

MARGARET. Creo que debemos confesarlo todo, Charlie ...

BARRINGTON. ¿Yo? ¿Qué he de confesar yo? ¡Será mejor que calles, Margaret!

25 MARGARET. ¡No quiero callar! ¡Me has dominado una vez y no quiero que me domines más! ¡Te aborrezco, Charlie! ¡Te odio!

BARRINGTON. ¡Margaret!

MARGARET. Los remordimientos no me dejarían vivir ... Ni a ti tampoco, aunque ella sea la única culpable ... Ella, que te 30 mintió, que te hizo tener miedo para interesarte, incluso para hacerte su cómplice o no perder tu amor o tu compañía ...

DOUGLAS. ¡Exijo que me diga toda la verdad! ¿Quién de los dos cometió el crimen?

MARGARET. La verdad es que esta tarde estuve aquí ... Me

32. to be locked up   33. At your service

escapé del baile en donde estaba sin que nadie se diese cuenta y
aproveché un momento en que Harris paseaba por la calle abajo
y no podía verme . . . Llamé a la puerta y me abrió Carlota . . .
Vine a prevenirla de que alguien iba a asesinarla . . . Subí con ella
a este gabinete . . . Carlota estaba demasiado alegre quizás . . . Y 5
hasta cantaba, incluso, cosa muy extraña en ella . . . (*Hay un
oscuro, durante el cual oímos cantar a Carlota «El pequeño vals».
Al volver de nuevo la luz diferente, vemos a Carlota que recibe a
Margaret.*)

EXERCISES

I. Translate the following sentences.

1. Lo que hace falta es que le hallemos.
2. El amigo trató de disuadirle, pero no pudo.
3. Se le llevó con unos compañeros.
4. Al principio pensó en visitar a Carlota.
5. Tenga la bondad de hacerle subir.
6. En lugar de hallar al asesino, sólo hace preguntas.
7. No es lo mismo, ni mucho menos.
8. Puede poner en marcha el disco.
9. Le daba la mano cuando se fijó en un pedacito de papel
   verde.
10. No he de confesar nada.

II. Preguntas.

1. ¿Quiénes tenían motivos para asesinar a Carlota?
2. ¿Por qué, según Barrington, no empleó un revólver el
   asesino?
3. ¿Por qué sospechan que Fred cometiese el crimen?
4. ¿Cuánto tiempo hace desde el principio del drama? ¿Qué
   hora es?
5. ¿Cuál es la noticia que Harris recibió de un agente?
6. ¿Vió Margaret a Carlota durante el día de hoy?
7. ¿Por qué no regresó antes Margaret de la fiesta?
8. ¿Sabía Margaret que Barrington sospechaba que Carlota
   hubiera envenenado a varias personas?

9. ¿De quiénes había sospechado Charlie?
10. ¿Por qué creían que Barrington hubiera fabricado un instrumento que adaptó en el fonógrafo?
11. ¿Qué había en el armario? ¿En qué condición era?
12. ¿Cómo sabía Hilton que Margaret estuvo en la casa de Carlota ese día?
13. ¿Por qué confiesa Margaret?

Learn this vocabulary before you read pages 103-110.

actitud *f.* attitude
alterado, –a disturbed
americana sack coat
cansado, –a tired
corbata necktie
desesperar to drive to despair
explicación *f.* explanation
gris gray
hueso bone

humo smoke
luchar to struggle, fight
manga sleeve
mudar (de) to change
pálido, –a pale
postre *m.* dessert
reunirse (con) to meet
verse to be

CARLOTA. ¡Pero qué alegría me das, Margaret! ¡Mira que escaparte de ese baile para venir a hacerme una visita! ¡Tralará, lará![1] . . . ¡Tralará, lará! . . .

MARGARET. No se trata de una visita, Carlota . . . Tengo que hablar contigo urgentemente . . .   5

CARLOTA. ¡Muy bien! ¡Así me distraerás! Estaba repasando mi diario, y la verdad es que los diarios sólo sirven para escribir bobadas,[2] que después la avergüenzan[3] a una . . . (Y *guarda el diario en el mueblecito, y sigue cantando.*) ¡Tralará, lará! ¡Tralará, lará! . . .

MARGARET. ¡Tienes que escucharme, Carlota! ¡Lo que voy a 10 decirte es muy grave!

CARLOTA. ¡Pues claro que te voy a escuchar, querida! La señora Manning se ha ido de paseo y estoy aburridísima toda la tarde . . . ¡Ah! ¿Y sabes lo que he hecho para distraerme? ¿A que no te lo figuras? Pues mira, me he tomado un vasito de ginebra escocesa[4] 15 mientras preparaba en la cocina unos *sandwichs* para la comida . . . Y como no estoy acostumbrada . . . ¡Si vieras lo contenta que me he puesto! . . .

MARGARET. Oyeme, Carlota . . .

1. Tralala, lala
2. foolishness
3. shame
4. Scottish gin

103

CARLOTA. ¡Ah! Y eso que el loco de Fred Sullivan me ha dado un disgusto[5] espantoso ... ¿A que no sabes lo que ha hecho?

MARGARET. ¿Qué?

CARLOTA. Ha subido de la farmacia mientras que yo escribía,
5 ha cogido el revólver que guardo en ese mueble y, después de darme un susto terrible,[6] me ha dicho: «Margaret no me quiere y voy a suicidarme con esta pistola.» A mí me ha parecido tan ridícula su actitud, que le he contestado: «¡Bueno, llévese el revólver, pero no me lo llene mucho de humo[7]!» Y se ha ido tan contento con el
10 revólver ... ¡Como si una no conociese a los hombres y no supiera que eso de suicidarse por amor ha pasado a la historia![8] ¡Cuidado que dicen tonterías para darse importancia![9] ¡Tralará, lará! ¡Tralará, lará!

MARGARET. ¡Quiero hablarte, Carlota! ¡Escúchame!

15 CARLOTA. ¡Ah! Y por si fuera poco, a Charlie se le ha ocurrido traer esta noche a un amigo suyo de policía y los estoy esperando de un momento a otro ...

MARGARET. Lo sé todo, Carlota ...

CARLOTA. (*Extrañada.*) ¿Ah, sí? ¿Y por qué lo sabes?

20 MARGARET. Charlie y yo hablamos con mucha frecuencia. No es verdad que vaya por las tardes al Banco, como a ti te ha hecho creer ... Es un pretexto para verse conmigo a solas ...

CARLOTA. (*Su alegría empieza a ceder.*)[10] ¿Para verse contigo ... a solas?

25 MARGARET. Sí, Carlota ... Por eso he dejado a Fred ... Pero como tú querías saber los motivos de esta ruptura, para que no sospechases la verdad, y de acuerdo con Charlie, he empezado un noviazgo[11] con el sargento Harris ...

CARLOTA. (*Atónita.*)[12] Entonces ... ¿tú y mi marido? ...

30 MARGARET. Una vez te dije que hay hombres con un poder extraño sobre mí, que me dominan y me dejan débil y pequeña ... Y que los temo y el temor hace que los odie ... ¡En este caso, yo te juro, Carlota, que todavía no sé si a Charlie le quiero o si le odio! ...

5. has displeased me	9. make themselves important
6. frightening me terribly	10. diminish
7. don't smoke it up much	11. engagement
8. has gone out of style	12. Astonished

CARLOTA. ¡No es verdad lo que estás diciendo! ¡Estoy cansada ya de tus mentiras! ¡Mientes constantemente!

MARGARET. No son mentiras . . . Charlie me contó lo del envenenamiento de tu padrino, y lo de John Manning, y hasta lo de mi padre . . . 5

CARLOTA. Entonces ¿es cierto lo que dices?

MARGARET. Sí. Y yo también lo llegué a creer, y lo mismo que él, te tenía miedo . . . Pero esta tarde, en el baile, me he encontrado a tus amigas Cristi y Lilián . . . Como tú, habían bebido un poco, y hablando, hablando, me han explicado toda la verdad. ¡Es terrible 10 lo que has hecho, Carlota! ¡Es terrible, porque esto te va a costar la vida!

CARLOTA. ¿A mí?

MARGARET. Charlie está obsesionado[13] con la idea de tus crímenes . . . Tiene miedo y te teme. Y desde el día que le dijiste 15 aquello, desde la misma noche de tu boda, sólo piensa una cosa: librarse[14] de ti . . ., asesinándote . . .

CARLOTA. (*Se ha sentado sin fuerzas, horrorizada.*) ¡No! ¡No es posible!

MARGARET. Ha trazado[15] su plan meticulosamente. Tiene una 20 llave de la puerta de atrás para poder entrar sin ser visto, cuando Velda Manning no esté en casa . . . Y todo está dispuesto para esta misma noche . . .

CARLOTA. ¿Y para qué ha llamado al detective?

MARGARET. Justamente para que el detective no sospeche de él 25 . . . Una vez que haya terminado lo que se propone, volverá a salir por la puerta de atrás y se reunirá con Harris y con el detective delante de la casa . . . Llamará, y al no contestar nadie, hará forzar la puerta . . . Cuando suban los tres y te encuentren muerta, sospecharán de todos menos de él . . . Esta tarde ha ido al Banco y tiene 30 preparada una coartada[16] referente a la hora en que salió de allí . . . Y antes, robará la caja de la farmacia para que atribuyan[17] el crimen a cualquier ladrón o maleante . . . Yo he intentado varias veces quitarle esa idea de la cabeza, pero todo ha sido siempre inútil . . . 35

13. obsessed
14. to free himself
15. devised
16. alibi
17. they attribute

CARLOTA. ¿Por qué no me lo has dicho antes, Margaret?

MARGARET. Yo también te tenía rencor.[18] El me aseguró que habías envenenado a mi padre, y yo terminé por creerlo . . .

CARLOTA. De todos modos, debiste tener conmigo una expli-
5 cación . . .

MARGARET. El me hizo jurarle que nunca te hablaría de esto . . . ¡Y le tengo miedo, Carlota! . . . Porque se da cuenta de mi debilidad, y me domina . . . Tú sabes que yo no soy mala . . . Y si he ido a ese baile esta tarde, ha sido para estar lejos cuando sucediese lo
10 que sabía que iba a suceder . . . Pero allí, tus amigas me han dicho la verdad y he corrido hasta aquí para prevenirte . . . El no puede tardar . . . Estás en peligro . . . Tienes que hacer algo y huir . . .

CARLOTA. Lo único que puedo hacer es explicarle mi mentira . . . Y los motivos que he tenido para decirle esta mentira, que en
15 realidad ha sido inútil, puesto que tú y él . . .

MARGARET. Entre nosotros no hay nada, te lo juro . . . Sólo una amistad que se ha ido haciendo más profunda por este temor estúpido a tus envenenamientos . . . Estábamos unidos para defendernos . . . Yo no le quiero. ¡No le quiero! (*Por la escalera de*
20 *la farmacia aparece Charlie Barrington, con el mismo abrigo en que le vimos en el prólogo de la obra. Las dos mujeres retroceden. Pero él habla sereno.*)

CARLOTA. ¡Charlie!

BARRINGTON. Hola, Carlota . . .

25 CARLOTA. ¿Por dónde has entrado?

BARRINGTON. Me he encontrado a Velda, que volvía, y para no molestarte haciéndote bajar, he entrado con ella por la puerta de servicio . . . Ya ves que la señora Manning se ha portado[19] bien y ha vuelto pronto de su paseo para preparar la cena de nuestro
30 invitado . . . ¿Qué tal, miss Margaret? ¿Cómo sigue usted?

CARLOTA. (*Suplicante.*) ¡Charlie! Tengo que explicarte una cosa . . .

BARRINGTON. ¿Pero qué te pasa, querida? Te noto[20] muy excitada . . . ¡Ah, ya sé! Tu amiga Margaret te habrá contado una de
35 esas cosas fantásticas que ella cuenta . . . ¡Tiene usted demasiada

---

18. grudge against you   19. behaved   20. I notice you are

imaginación, señorita, y eso no beneficia nada su salud! . . . ¡Está
usted muy pálida! . . .

CARLOTA. Es necesario que lo sepas todo, Charlie . . . Cuando
nos casamos y yo te conté aquello de mi padrino . . .

BARRINGTON. ¿Pero no comprendes que ahora no tenemos tiem- 5
po de sacar a relucir[21] cosas pasadas? Mi amigo míster Hilton va a
venir de un momento a otro y ya sabes que quiero quedar bien[22]
con él . . . Le he dicho a Velda que prepare un buen postre de
frutas al *kirsch*,[23] que a él le gustan tanto . . .

CARLOTA. (*Volviendo a confiarse.*) Entonces ¿es verdad que está 10
abajo la señora Manning?

BARRINGTON. ¿No te he dicho que he entrado con ella? Ahora
subirá, cuando se quite su precioso sombrero de los días de fiesta
. . .[24] Y mientras ella prepara el postre, yo me voy a mudar de
americana, porque en el Banco, por mucho cuidado que se tenga, 15
siempre se rozan[25] las mangas trabajando . . . ¡Ah! Y se me está
ocurriendo una gran idea . . . ¿Por qué no invitas a miss Margaret
a cenar con nosotros? Mi amigo es soltero y detective, y le gustará
mucho conocer a una señorita tan encantadora y con una imaginación tan calenturienta . . .[26]
20

CARLOTA. Sí, Charlie . . . Margaret debe quedarse con nosotros
. . . ¿Verdad que te quedarás?

MARGARET. (*Sin saber qué pensar ni qué decir.*) Sí . . .

BARRINGTON. ¡Magnífico! Pues anda, Carlota, prepárame otra
americana, y en cuanto me cambie, tomaremos unos *whiskys* para 25
entonarnos . . .[27] Esta noche debemos estar todos contentos . . .

CARLOTA. Voy en seguida, Charlie . . . Pero me debes explicar . . .

BARRINGTON. Por favor, Carlota . . . Es ya muy tarde . . . Anda,
sácame eso . . .

CARLOTA. Sí . . . (*Y va a entrar en la alcoba.*) (*Margaret grita:*) 30

MARGARET. ¡No entres ahí, Carlota!

---

21. to bring to light again
22. to acquit myself well
23. with kirschwasser, liquor made
by distilling the fermented juice of the
morello cherry

24 holidays
25 are rubbed
26 feverish
27. tone us up

CARLOTA. ¡Pero qué tonta eres, hija! ¡Me has asustado! ¿Por qué no voy a entrar? (*Y hace mutis por la alcoba.*)

BARRINGTON. ¿Qué le pasa a usted, miss Margaret? Nunca la he visto con su sistema nervioso tan alterado ... Bueno, tiene una
5 explicación ... Es esta niebla, que se mete en[28] los huesos y acaba por desesperar a cualquiera ... Pero todo le pasará[29] cuando tome un buen trago ... [30] (*Y se dirige a la alcoba, mientras disimuladamente[31] saca un cordón de seda del bolsillo de su gabán.[32] Margaret está en primer término, absorta[33] en sus pensamientos, y no le ve.*
10 *No ha querido mirarle cuando Charlie le ha hablado.*) ¡Ah, oye, Carlota!

CARLOTA. (*Dentro.*) ¿Qué quieres, cariño?

BARRINGTON. Tienes que sacarme también otra corbata ...

CARLOTA. (*Dentro.*) ¿La verde o la azul?

15 BARRINGTON. No. Esa otra gris que está en el armario ... Allí en el fondo ... (*Y entra en la alcoba; Margaret, en el mismo sitio, con la cabeza baja, abstraída,[34] no se da cuenta de lo que ocurre. Pero el silencio parece despertarla y retrocede y mira hacia la alcoba. Queda aterrada, sin fuerzas siquiera para gritar. Al fin hace un
20 esfuerzo.*)

MARGARET. ¡No, Charlie! ¡Charlie! ... (*Un tiempo. Sale Barrington hundido,[35] grave.*)

BARRINGTON. ¿Por qué has querido traicionarme?[36]

MARGARET. ¡La has matado, Charlie!

25 BARRINGTON. ¿Por qué te extraña? ¿Es que no sabías que lo iba a hacer? ¿Que era inevitable que lo hiciera?

MARGARET. Nos has engañado ... No has entrado con Velda ...

BARRINGTON. ¿Crees que después de prepararlo todo ibas a desbaratar[37] mi plan por tu cobardía?[38] ¿A qué has venido?

30 MARGARET. No es cierto lo que pensábamos de Carlota ...

BARRINGTON. No perdamos el tiempo con tonterías ... (*Abre

28. gets into
29. will pass away from you
30. swallow
31. slyly
32. overcoat
33. absorbed

34. absent-minded
35. sunk in thought
36. to betray me
37. to ruin
38. cowardice

un poco el balcón y mira.) Harris está en la calle y el detective estará al llegar ... Tú, como yo, saldrás por la puerta de servicio y volverás al baile sin que nadie te vea, ¿me oyes? Y allí te quedarás hasta el último momento ... Piensa que si alguien te ve salir te acusarán del asesinato, y yo no haré nada por salvarte ... 5

MARGARET. ¡Charlie!

BARRINGTON. ¡Vamos, vete ya!

MARGARET. Sí ... (*Y va hacia la escalera.*)

BARRINGTON. (*Está junto al piano y esta proximidad le sugiere algo.*) ¡No! ¡Espera! ... Primero saldré yo ... 10

MARGARET. ¡No! ¡Yo no quiero quedarme aquí!

BARRINGTON. ¡Tú harás lo que te mande! Primero saldré yo y hablaré con ellos ... Procuraré entretenerlos charlando ...[39] Y tú, mientras, tocarás el piano ...

MARGARET. Pero ¿qué dices? 15

BARRINGTON. Creerán que es Carlota la que toca y esto los acabará de despistar ...[40] Después huirás inmediatamente por la puerta de servicio, ¿comprendes?

MARGARET. ¡No! ¡No lo haré!

BARRINGTON. (*Abrazándola fuertemente.*) Sí lo harás, Margaret 20 ... Tienes que salvarme, te necesito. ¿Verdad que sí lo harás?

MARGARET. (*Sin fuerzas para resistir. Entregada*[41] *al hombre.*) Sí, Charlie, lo que quieras ... (*Y suenan las detonaciones que se oyeron al principio de la comedia.*) ¿Qué es eso?

BARRINGTON. No te alarmes ... Son los cohetes de esa fiesta 25 donde has estado ...

MARGARET. ¡Tengo miedo!

BARRINGTON. Adiós, Margaret ... Estoy seguro de que vas a hacer todo lo que te he dicho ... (*Y hace mutis por la escalera de caracol. Margaret, como embrutecida*[42] *por las emociones, va* 30 *despacio hasta la alcoba y mira desde la puerta.*)

MARGARET. ¡Carlota! ¡Mi pobre Carlota! ¿Por qué dijiste aquella mentira que a nada conducía? ... ¿Por qué querías conservar el

---

39. chatting
40. this will end by throwing them off the track
41. Devoted
42. made irrational

cariño de un hombre que ha terminado por asesinarte? . . . ¡Mi
pobre Carlota! Ahora estás muerta y él no sabe aún que era mentira todo y que le mentiste porque tenías miedo de perder su amor
. . . ¡Y ningún hombre merece nuestro amor, Carlota! . . . Y sin
5 embargo luchamos, fingimos y mentimos por conseguirlo . . . (*Va
hacia el balcón y mira por detrás de los visillos.*) Ahora habla con
Harris . . . ¡Pero Carlota ya está muerta! (*Y va hacia el piano.*)
Y Charlie me ha ordenado que toque este piano, como si fuera
ella quien lo tocase . . . ¡Pero no lo tocaré! ¡No quiero que ningún
10 hombre me domine! (*Y se sienta en la banqueta, llorando.*) ¡No
quiero! ¡No quiero! ¿Por qué has hecho esto, mi querido Charlie?
¡Nunca has debido hacerlo! ¡Qué crimen estúpido! ¡Y no tocaré
el piano, como tú me has mandado! ¡No! ¡No! (*Y mientras llora
empieza a tocar en el piano «El pequeño vals». Sigue tocando, cada
15 vez más fuerte. Y mientras tanto, lentamente, va cayendo el*

TELON

FIN DE CARLOTA

EXERCISES

I. Translate the following sentences.
1. ¿A que no sabe usted lo que hice?
2. No quiere darme un susto.
3. Es solamente para verse a solas conmigo.
4. Me hizo jurar que yo no le diría nada.
5. Por mucho cuidado que se tenga, siempre se cae.
6. Te habrá contado algo fantástico.
7. No es cierto lo que piensa de Carlota.

II. Preguntas.
1. Cuando Margaret llamó a la puerta de Carlota, ¿qué
hacía ésta?
2. ¿Quién se llevó el revólver, y para qué?
3. ¿Por qué ha dejado Margaret a Fred? ¿Puede creerlo Carlota?

4. ¿Cómo sabía Margaret de los crímenes imaginarios de Carlota?
5. ¿Cuáles son los planes de Charlie?
6. ¿Podía Margaret contarle antes los planes a Carlota?
7. ¿Hay algo entre Margaret y Charlie?
8. ¿Por dónde entró Charlie y con quién?
9. ¿Podía Carlota explicarle el caso a Charlie?
10. ¿Cuándo gritó Margaret?
11. ¿Dónde estuvo el cordón de seda?
12. ¿Qué corbata quiere ponerse Charlie?
13. ¿Cómo salicron Charlie y Margaret?
14. ¿Qué tocó al fin Margaret?

Vocabulary

Personal and reflexive pronouns, articles, demonstrative and possessive adjectives and pronouns, adverbs ending in *mente* when the corresponding adjective is listed, and exact cognates have been omitted.

Verbs are listed under the infinitive, and the preposition commonly used with the verb is indicated in parentheses. In the translation of the infinitive, the word *to* has been omitted. Regular and common past participles have been omitted unless the past participle used as an adjective has a different meaning.

Nouns ending in *o* and *a* are masculine and feminine, respectively, unless otherwise indicated. Gender of other nouns is given. *n.* is the abbreviation for noun and *pl.* for plural.

Adjectives are listed under the masculine form. Adjectives as well as nouns to which *a* is added to form the feminine are marked as: *encantador(a)*. Diminutive and augmentative forms have been included, but *ísimo* forms have been omitted if the original form has been listed.

Names and vocabulary from the introduction are included.

A

a to, at, on; as; as for, by, from, in, of, in order to; with; — **no ser que** unless; — **que** I bet; ¿ — **qué?** why?; ¿ — **qué viene eso de?** What's all that about?

abajo below, down; downstairs

abandonar desert, forsake, abandon

aborrecer hate

abrazar embrace

abrigar protect

abrigo overcoat

abrir open

abrumador(a) overwhelming; oppressive; wearisome

abrumar crush, overwhelm, oppress

absoluto absolute; **en** — absolutely

absorto absorbed

abstraído absent-minded

absurdo absurd

abuelo grandfather
aburridísimo very bored
aburrimiento boredom
aburrirse get bored
abusar abuse; take undue advantage
acabar end, finish; — de have just
accidente *m.* accident
acción *f.* action
aceite *m.* (olive) oil
aceptar accept
acercarse (a) approach
acertado wise
ácido acid
acompañar go with; accompany, come with
acongojar grieve, afflict
aconsejar advise
acordarse (de) remember
acostarse go to bed
acostumbrar accustom; be accustomed; –se become accustomed
actitud *f.* attitude
acto act; en el — at once
actriz *f.* actress
actual present, actual
acuerdo *n.* agreement; de — con in agreement with
acusar accuse
achaque *m.* habitual indisposition
adaptar fit, adapt
adelantar advance
ademán *m.* gesture
además (de) besides, moreover, in additon
adiós good-bye
administrador *m.* administrator
admirador (a) admirer
¿adónde? where (to)?
adorar adore, worship

advertir notice
afectado (de) affected (by)
afeminado effeminate
afición *f.* interest, fondness
aficionado (a) fond (of)
afirmar affirm
agachar stoop, bend down
agente *m.* agent
agradable pleasant, agreeable
agradecer be thankful for, thank for
agradecido grateful, thankful
agradecimiento gratefulness
agrio rude, disagreeable
agua (el) *f.* water
aguantar endure, stand
ahí there; por — over there
ahora now; — mismo right now
aire *m.* air
ajeno another's, other people's
al = a + el + *infinitive* on, upon; — kirsch with kirschwasser (*see* kirsch); — no ser because of not being
alarmante alarming
alarmarse become alarmed
alcanzar obtain, attain; reach
alcoba bedroom
alegrarse (de) be glad
alegre gay, merry, cheerful
alegría joy
alejado distant
alemán (a) German
Alemania Germany
alfombra carpet
algo something, anything; somewhat
alguien someone, somebody
algún (o) some, any; ¿alguna vez? ever?
alicates *m. pl.* pliers
alimentarse de feed on, eat

aliviar relieve
alma (el) *f.* soul; heart
almíbar *m.* sugar syrup
almorzar eat lunch
alrededores *m. pl.* surroundings;
environs
alterar disturb
alto high; upper; tall; **voz alta**
loud voice
alumbrar light, light up
alzar raise, lift
allá there; **para —** over there
allí there
ama de llaves housekeeper
amante *m. & f.* lover
amargar embitter
Amberes Antwerp, city in Belgium
ambición *f.* ambition; aspiration
ambicioso ambitious
ambos both
amedrentado frightened
amenazar threaten
americana sack coat
ametralladora machine gun, rapid-fire gun
amigo friend
amiguito dear little friend
amistad *f.* friendship
amor *m.* love
amoroso amorous
analizar analyze
andaluz Andalusian, inhabitant of
Andalusia, old region of southern Spain
andar go, walk
angustia anguish
angustiado distressed
ánimo mind
ante before
anterior former; previous
antes before, first; rather; **— de**

before; **— (de) que** before
antiguo former; old
antipático disagreeable
antojarse be desired capriciously;
se me antoja I take a notion to,
want to
añadir add
año year
apagar put out; **— se** go out
aparecer appear
apartar put (push) out of the way
aparte aside
apasionante passionate
apenas hardly, scarcely
apetecer desire, like; **se me apetece** I desire, like
apetito appetite
apostar bet
apoyado (en) leaning (on)
apoyarse lean
aprensivo apprehensive
apresuradamente hastily
apresurarse (a) hasten
aprovechar take advantage, profit
by
aproximadamente approximately
aproximarse approach
apuntar jot down
aquejado (de) suffering (from),
complaining (of)
aquejar complain; suffer
aquí here; **— mismo** right here
arco arch
arder burn
argentino Argentine, Argentinean
argumento summary
armario cabinet; closet
arreglar arrange, fix (up); settle
arriba upstairs; above
arrivista *m. & f.* upstart, parvenu
artículo article

asegurar assure
asesinadito little murdered one, assassinated one
asesinar murder, assassinate
asesinato murder, assassination
asesino assassin, murderer
así so, thus; like that; — como like, just as
asomar appear; –se a look out of, look into, peer out, put ... out
asombroso astonishing
aspecto aspect, appearance
aspirina aspirin
astuto astute
asunto matter, affair
asustar frighten, scare; –se become frightened
atacar attack
atención *f.* attention
aterrar terrify
atmósfera atmosphere
atónito astonished
atormentar torment
atrás back; de — back
atreverse (a) dare
atribuir attribute
atrocidad *f.* atrocity
atropellar knock down
aumentar increase, enlarge
aun, aún even, still, yet
aunque although
ausente absent; absent-minded
auténtico authentic
autobiografía autobiography
automáticamente automatically
autor *m.* author
autoritario authoritative(ly)
autorizar authorize
avanzar advance, go forward
aventurar(se) (a) venture, risk
avergonzar shame
avisar advise, inform

¡ay! oh! ow!
ayer yesterday
ayuda help
ayudante *m.* assistant
ayudar help
azar *m.*: al — at random
azúcar *m.* sugar
azul blue

B

Babia: estar en — absent-minded
bachillerato baccalaureate, bachelor of arts
baile *m.* dance
bajar go down, come down; get out of; bajado del pescante a bastonazos knocked out of the coach box seat with his cane
bajo low, lower; short; under
balcón *m.* balcony; window (with a balcony)
balde: en — in vain
banal trite, banal, trivial
banca banking
banco bank
bandeja tray
banqueta three-legged stool
bañar bathe
baño bath
barbaridad *f.* amazing thing, awful thing
Barcelona port city, northeast coast of Spain
barómetro barometer
barra bar
barriada district
barrio city district, suburb; — alejado distant suburb
basar base
¡basta! enough!
bastante enough; rather

bastar be enough
bastonazos: a — with cane blows, beating with a cane
bata dressing gown, robe
batería encendida lighted footlights
batir beat
beber drink
bebida drink
Benavente, Jacinto (1866-1954), Spanish dramatist of Generation of 1898
beneficiar benefit
Berlanga, Luis 20th century Spanish film writer
beso kiss
bien well; indeed; fine, good; ¡con lo — que te salen a ti! how successful yours are! más — rather; quedar — acquit oneself well
bienvenido welcome
bilingüe bilingual
blanco white
bobada foolishness
boda(s) wedding
bohemio Bohemian
bolsillo pocket
bondad f. goodness; kindness; tener la — de please
bonito pretty
bordar embroider
bostezar yawn
botica drugstore
botiquín m. medicine chest
brazo arm
breve brief, short, concise
brillante brilliant; shining
británico British
broma joke
Bruselas Brussels, capital of Belgium

buen(o) good; well
Buenos Aires capital of Argentina
Buero Vallejo, Antonio (1916-), Spanish dramatist
burgués bourgeois, middle class
burlar ridicule, mock; abuse; deceive
buscar look for, seek
butaca armchair
Byron, George Gordon, (Lord) (1788-1824), English poet

C

cabal just, exact; a carta — in every respect
caballero gentleman
caballo horse
cabecera: médico de — family doctor
caber go in; be contained; no cabe duda there is no doubt
cabeza head; dolor de — headache; se me fuese la — my head left me, my head were coming off
cabo corporal; end; al fin y al — after all
cachiporra billy stick
cada each, every; —vez más (terrible) more and more (terrible)
Cádiz city in southwest Spain
caer fall; — en la cuenta catch on, get the point; — en realize; —le a uno be to one; —se fall down; become downcast; venir a — be located
caídas: — de cortinas panels of curtains
caja (cash) box, chest
cajero cashier

cajón *m.* drawer, box, case

Calderón de la Barca, Pedro (1600-1681), Spanish Golden Age dramatist

calenturiento feverish

caliente hot, warm

calmar calm; –se calm down, get calm, be calm

Calvo Sotelo, Joaquín (1905-), Spanish dramatist and lawyer

callar be quiet, keep still, be silent

calle *f.* street

callejón *m.* lane; alley

cama bed

camarín *m.* dressing room

cambiar(se) (de) change; exchange

cambio change; exchange; en — on the other hand

camino way; road; — de salida way out

camisón *m.* camisole, corset cover

campanudamente pompously

canasta basket; card game

cancioncilla little song

cansado weary, tired

cansancio weariness

cansar tire out; –se get tired, become tired

cantar sing

cantidad *f.* quantity, sum

capaz capable

capita little cape

capricho whim, caprice

caprichoso capricious, whimsical

cara face; de — a facing; no tiene usted muy buena — you do not look very well

caracol *m.* spiral staircase, winding staircase

carácter *m.* character

¡caramba! confound it!

carcajadas: reír a — laugh heartily

carecer lack; — de servicio lack servants

cargo charge; office; hacerse — de understand

cariñines: hacerte — caress you a little

cariño love, affection; dear; hacerle — caress him; tenerla — to be fond of it

cariñoso affectionate

carrera ride; career; course

carta letter; a — cabal in every respect

cartel *m.* placard, billboard

casa house, home

casarse (con) get married

¡cáscaras! really!

casera housekeeper

casero domestic

casi almost, nearly

caso case; situation; hacer — de pay attention to

Casona, Alejandro (Alejandro Rodríguez Alvarez) (1903-), Spanish dramatist residing in Argentina

castañuela castanet; tampoco ser un par de –s not to be very gay either

castigar punish

casual casual, accidental, chance

casualidad *f.* chance, coincidence; dio la — it happened

causa cause; reason; a — de because of; por su — on account of you, because of you

causar cause

ceder yield; diminish

celebrar be glad; celebrate

celeste sky-blue

celosía openwork, Venetian blind

celoso jealous

cena supper

cenar eat supper

cenefa border

centro center

cerca de near

cerciorarse make sure

cerebral cerebral, brainy

ceremonia ceremony

cerrar close; shut; lock

certificar certify

cesar (de) cease, stop

científico scientific

cien(to) a, one hundred; por — per cent

cierto (a) certain; es — it is true; por — certainly, surely

cigarrillo cigarette

cinco five

cine *m.* movies

cinematográfico cinematographic, motion picture

circunstancia circumstance

ciudad *f.* city

claridad *f.* clarity; con — clearly

claro clear; clearly; ¡ — ! of course! sure! ¡ — que sí! of course! ponerse en — be made clear

clase *f.* class; kind, sort

clave *f.* key

clavo nail; dar en el — hit the nail on the head

clima *m.* climate

clínica clinic

coartada alibi

cobardía cowardice

cocina kitchen

cocinera cook

coche *m.* coach; carriage

cochero coachman; driver

codorniz *f.* quail

coger pick up, seize; catch

cohete *m.* skyrocket; –s fireworks

coincidencia coincidence

colaboración *f.* collaboration

colaborar collaborate

colega *m.* colleague

colegio boarding school; compañero de — classmate

colgado hanging

colorado red

comedia comedy; play

comedor *m.* dining room

comentario commentary

comer eat; eat dinner

cometer commit

cómico comic; dramatic

comida food; meal; dinner

comisario deputy

como as, like; when; since; — que because, inasmuch as, since; así — like; tanto . . . — both . . . and

¿cómo? how? why? what? ¿—era Carlota? What was Carlota like? ¿ — que no? of course! certainly! ¿ — siguen? How are they?

comodidad *f.* comfort, convenience

compadecer pity

compañero companion; — de colegio classmate

compañía company; hacerle — keep you company

compartir share

complejo complex

completo complete

complicarse be complicated

cómplice *m.* accomplice

complicidad *f.* complicity

comportamiento behavior
compra purchase; shopping; de –s shopping
comprar buy
comprender understand
comprobar verify; confirm; check; prove
comprometer engage, occupy
compromiso compromise; obligation
comunicar communicate
con with; ¡ — lo bien que te salen a ti! how successful yours are! — que and so
conceder concede, grant
concepto opinion
conciencia conscience
concierto concert; musical composition, concerto
concreto n. concrete; en — concretely, summing up
condenar condemn, damn
condiscípulo schoolmate
conducir lead
confesar confess
confesión f. confession
confianza confidence, trust; — con trust in
confiar (en) confide (in); –se trust
confidencia confidence, trust
confidencial confidential(ly)
confín m. boundary, limit
confundir confuse
confuso confused
congreso congress, convention
conmigo with me, with myself; hacer esto — do this to me
conmoción f. shock, disturbance, concussion
conmover move

conocer know, be acquainted with; meet
conseguir succeed in (getting); obtain, get
consentir permit
conservar conserve, preserve, keep
conservas pl. canned goods
considerar consider
consiguiente consequent
constante constant
constar consist; — de dos plantas consist of two floors
constituir constitute
consulta consultation
consumado real, perfect
contar tell, relate; count; — con count on
contemporáneo contemporary
contener hold back; contain
contento content, satisfied, happy
contestar answer
contigo with you
continuación f.: a — as an extension
continuar continue, go on
contrariar oppose
contrario contrary; al —, de lo — on the contrary
contundente forceful
convencer convince
conveniente suitable
convenir suit, be proper
conversación f. conversation
convertir convert; change
copa crown (of hat); sombrero de — silk, high hat
coqueta coquette
corazón m. heart
corbata necktie
cordón m. cord
Córdova, Arturo de 20th century Mexican film director

correcto   correct
correr   run
corresponder   correspond
corriente   ordinary; current; **poner
al —** inform
corsé *m.*   corset
cortina   curtain
corto   short
cosa   thing; matter; affair; **otra —**
anything else, something else
costa   cost; **a — de** at the expense
of
costar   cost
costumbre *f.*   habit, custom
cotillón *m.*   cotillion, dance
creer   believe, think
criado   servant
crimen *m.*   crime
Cristi(na)   Christine
Cristo   Christ
cruzar   cross
cuadro   picture; scene
cual   (such) as; **el —** who, which;
lo — which (fact)
¿cuál?   which? which one? what?
cualidad *f.*   quality
cualquier(a)   any, anyone
cuando   when; **de — en —** , **de
vez en —** from time to time
¿cuándo?   when?
cuanto   all that; as much as; **en
—** as soon as; **en — a** as for;
otros —s a few others; **todo —**
all that; **unos —s** a few
¿cuánto?   how much? ¿ **— tiempo
hace que vinieron?** how long
ago did they come?
¡cuánto!   how!
cuartelillo   headquarters
cuarto   room
cuatro   four; **a las —** at four
o'clock

cuchara   (table)spoon
cuchillo   knife
cuenta   account; **dar —** report;
darse — de realize; **más de la —**
more than necessary, too much;
tener en — keep, bear in mind;
en resumidas —s in short
cuento   story, tale; **venir a —** be
pertinent, be to the point
cuerpo   body
cuestión *f.*   question, problem;
matter
cuidado: **tener —** be careful; **tener
buen —** be very careful
cuidar   take care (of)
culpa   blame, fault; **tener la —**
be to blame
culpabilidad *f.*   guilt
culpable   guilty
culto   well-educated
cumplir (con)   fulfill, keep
curar   cure
curiosear   look curiously
curiosidad *f.*   curiosity
curioso   curious
cuyo   whose, of whom, of which

CH

chalet   chalet, cottage or house
in the Swiss style
chanza   joke
charlar   chat
checoslovaco   Czechoslovak
chelín *m.*   shilling
chico   small; small boy, youngster
chillón(a)   harsh
chiquillo   small child, little one
Christie, Agatha   (1890-),
English detective story writer

D

daño harm; **hacerle — hurt** him
dar give; hit, strike; take; **— a**
face; — a entender claim; **— la**
casualidad happen; **— en el**
clavo hit the nail on the head;
— con find; — cuenta report;
— un disgusto displease; **no me**
dio la gana de I did not want to;
— un golpe strike; **— gritos**
shout; **al — luz** as the light
comes on; **— la mano** shake
hands; **— miedo** frighten; **me da**
lo mismo it is all the same to
me; **— muestras** shown signs; **—**
pena pain; **me da tanta pereza** it
makes me so lazy about; **— por**
consider as; **¿qué más le da?**
what difference does it make to
you? **— rabia** make furious; **—**
un susto frighten; **— tristeza**
sadden; **— un vistazo** glance at,
look over; **— una vuelta** take a
short walk; **— vueltas** turn;
walk to and fro; return; whirl;
–le vueltas a su cachiporra turn
his billy stick; **–se cuenta de**
realize; **–se importancia** make
oneself important; **al –se luz**
when the light is turned on;
–se prisa hurry
de of; from; by; as (if); than; in;
with; about; for
debajo de underneath, beneath
deber *n.m.* duty; — ought, must;
— de must; **haber debido de**
abrir must have opened
débil weak
debilidad *f.* weakness
decidir decide; **–se (a)** make up
one's mind
decir say; tell; **querer —** mean

declaración *f.* declaration, statement; **prestar —** offer a statement
declarar declare, state
decorado decoration
dedicarse (a) dedicate oneself to,
devote oneself to
deducción *f.* deduction
defecto defect, fault
defectuoso defective
defender defend
definitivo definite
defraudar defraud, cheat, disturb
defunción *f.* death, demise; **es-**
quelas de — death notices, obituaries
dejar let; leave; permit, allow; **—**
de fail, stop, cease
delante in front, before; **— de** in
front of; **por —** ahead
delicadeza delicacy; acuteness of
understanding
delicado delicate; sickly
delicioso delightful
demás rest
demasiado too, too much
demostrar show, demonstrate
dentro inside, within; **— de** inside of, in, within; **por —** on
the inside
depender (de) depend (on)
derecho right
derramar spill; **por poco se me**
derrama I am almost spilling
desafiante challenging
desagradable disagreeable, un-
pleasant
desairado unsuccessful
desaparecer disappear
desarrollar develop
desbaratar ruin
descansar rest
descanso rest

descartar discard, eliminate
descifrar decipher
desconcertar disturb, disconcert
desconfiado distrustful
desconfianza distrust
desconfiar distrust
desconocido unknown;
n. stranger
describir describe
descubrir discover
descuido neglect, carelessness
desde from; since; — **entonces**
from then on; **no le veo** — **hace**
mucho tiempo I have not seen
you for a long time; — **luego** of
course; — **que** since
desear wish, desire
desencajar look very ill
deseo desire; **sentir** –s **de** desire
desesperar be desperate; drive to
despair
desgracia misfortune; **por** — unfortunately
desgraciado wretched, unfortu-
nate
desheredar disinherit
desligarse extricate oneself
desobedecer disobey
desolado desolate; disconsolate
desorientación *f.* confusion, dis-
orientation
despacio slowly
despacho office
despedirse de say good-bye to
despejado smart; clearheaded
despejarse be relieved of pain
despertar awaken, wake up;
arouse
despistar throw off the track
después afterward, after, later; —
de after
destapar uncover
destino destiny, fate

destornillador *m.* screwdriver
destrozar shatter, destroy
detalle *m.* detail
detener stop, detain; –se stop
determinar determine, decide
detonación *f.* detonation, report
detrás in back; — **de** behind
devolver return, give back
día *m.* day; — **libre** day off; **al** —
siguiente the next day; **del** — **de**
hoy of the (present) day; **todos**
los –s every day; –s **de fiesta**
holidays
diablura deviltry
diálogo dialogue
dialoguista *m.* dialogist, writer of
dialogues
diariamente daily
diario diary; daily newspaper
dibujante sketcher
dibujo drawing
diccionario dictionary
diecinueve nineteen
diez ten
diez y ocho eighteen
diferenciar differentiate, distinguish
diferente different
difícil difficult, hard
dificultad *f.* difficulty
difteria diphtheria
difunto deceased
digno dignified
diligencia judicial proceedings
diminuto diminutive
dinero money
Dios God; ¡ — **mío!** dear me! my
goodness! ¡**por** — ! for Heaven's
sake!
dirección *f.* direction
directo direct
dirigir direct; –se (**a**) address; direct oneself to (toward); go to

disco record
discretamente discreetly
disculpar excuse
discusión f. discussion
discutir discuss
disecar stuff
disgustar displease, disgust
disgusto unpleasantness, displeasure, annoyance, disgust; dar un — displease; a — against one's will
disimuladamente slyly
disimular pretend, conceal, hide
disipar dissipate, disperse, scatter
dispararse (un tiro) shoot oneself
disparate m. nonsense; absurdity
disparo shot
disponer arrange; — de have at one's disposal
dispuesto ready
distante distant, far off
distinguir distinguish
distinto different, distinct
distraer distract, divert
distraído absent-minded
distrito district
disuadir dissuade
divertirse have a good time, amuse oneself
divinamente divinely
doler feel pain, ache
dolor m. pain; sorrow; — de cabeza headache
domicilio domicile; home
dominar dominate
don Don (title used before the Christian name of men, meaning "Master")
donde where, in which; en — where, in which; por — through which
¿dónde? where?

dormir sleep; —se fall asleep, go to sleep
dos two; — veces twice, two times; los — both
Dover English seaport
dramático dramatic
dramaturgo dramatist
duda doubt; no cabe — there is no doubt
dudar doubt
dulce sweet
duque m. duke
durante during
durar last
dureza hardness; harshness
duro hard; stern

E

e and
eco echo
económico economical
echar take; throw; put; pour (liquids); — la llave turn the key; lock; — por tierra tear down, demolish; —se a start to, begin to; —se a reír a carcajadas start to laugh heartily
Echegaray, José (1832-1916), Spanish post-romantic dramatist
edición f. edition, publication
editar publish
educación f. training; education
efectivamente actually
efecto effect; en — as a matter of fact, in fact
efectuar carry out, do, make
efusivamente effusively
ejemplo example; por — for example, for instance
el, la, lo, los, las de that, those, the one, the ones of; el etc. que

the one, the ones that, that which, who, what
elegir choose
eliminar eliminate
embarazoso embarrassing
embargo: sin — nevertheless, still, however
embrujar bewitch
embrutecer make irrational
emoción *f.* emotion
emocionado shocked, upset
emocionar touch, move, arouse emotion in, fill with emotion
empeñarse en insist on
empezar (a) begin
empleado employee
emplear employ, use
empleo employment
empresario impresario; theatrical manager
en in; on, into, upon; at; — el acto at once
enamorado de in love with
enamorarse de fall in love with
enano dwarfish; *n.* dwarf
encantador(a) charming, enchanting, delightful
encantar enchant, charm
encargar request; –se (de) take charge (of)
encendedor *m.* lighter
encender light
encerrar enclose; shut; lock; lock up
encima (de) on top (of), above, over
encontrar find; come upon; –se be; –se con meet
endiablado devilish
energía energy; con — energetically
enérgico energetic

enfermar get sick
enfermedad *f.* illness, sickness
enfermera nurse
enfermo sick, ill
enfrente opposite; (de) — in front (of)
engañar deceive; –se be mistaken
enhorabuena congratulation
enlutar dress in mourning
ensayo rehearsal
enseñar teach
entender understand; dar a — insinuate; claim
enterar inform; –se de find out
entero whole, entire; por — entirely
entierro funeral
entonar tone up
entonces then, at that time; desde — from then on
entrada entrance
entrar (en) enter, go in, come in; attack
entre between; among
entreabierto half-open
entregar deliver; –se a devote oneself to
entretener entertain, amuse
entretenidísimo very amusing
entrevista interview, meeting
envasar bottle
envenenamiento poisoning
envenenar poison
enviar send
enviciar corrupt; –se become corrupted
envidiar envy
epidemia epidemic
época period, epoch, time
equilibrado balanced, equilibrated
equilibrio equilibrium

equipaje *m.* baggage
equivocarse be wrong; be mistaken
escalera staircase; stair; tramo de — flight of stairs
escalerita small staircase
escalofrío chill
escapar(se) escape
escaparate *m.* display window
escena scene, (stage)
escocés(a) Scotch; ginebra — Scottish gin
esconder hide
Escorial, El palace and monastery 30 miles from Madrid; built by Philip II, who reigned from 1556 to 1598
escribir write
escritor(a) writer
escuchar listen, hear
esfuerzo effort
eso that; a — de (las cuatro) at about (four o'clock); nada de — not at all; por — that's why; therefore
espaciado apart
espalda back, shoulder; —s back; a —s de behind; volver de —s turn one's back
espantar frighten
espantoso frightful, frightfully
España Spain
español(a) Spanish
esparadrapo court plaster
especial special
espectáculo spectacle
espectador(a) spectator
esperar hope; wait, await, wait for; expect; es de — it is to be expected
espeso thick
esposa wife

esposo husband
esquela note; —s de defunción obituaries, death notices
esquina corner
estación *f.* station
estado state
Estados Unidos, Los The United States
estafar overcharge
estallar burst, explode
estar be; taste (*food*); está bien all right
estómago stomach
estrangular strangle
estrenar appear for the first time, make one's debut, perform (put on) for the first time
estreno first performance
estropear spoil; ruin
estudiar study
estudio study; school, college; studio
estupefacto stupefied
estupendo stupendous, wonderful
estúpido stupid
etapa stage
etiqueta label
evidente evident
evitar avoid
exactamente exactly
exactitud *f.* exactness; punctuality
exagerar exaggerate
exaltado excited
examinar examine
excepcional exceptional, unusual
excitar excite
exclamar exclaim
excusa excuse
exigente exacting
exigir demand

existencia existence
existir exist
éxito success
experimento experiment
explicación *f.* explanation; **tener conmigo una —** explain yourself to me
explicar explain
expresión *f.* expression
extendido general
extinguirse die
extranjero stranger
extrañar surprise; be surprised (at)
extraño strange
extraordinario extraordinary
extremo extreme

F

fabricar fabricate, manufacture
fácil easy
fachada façade; front of building
falso false
falta fault; offense; **hacer —** be necessary; **le hace —** he needs
faltar be lacking
fama fame; reputation
familia family
familiares *m. pl.* members of the family
famoso famous
fantasía fantasy, fancy, imagination
fantástico fantastic
farmacéutico pharmaceutical; pharmacist, druggist
farmacia pharmacy; drugstore
farol *m.* street lamp
fastidio nuisance, bother
favor favor; **hacerme el — de** please; **por —** please

febrero February
fecha date
felicidad *f.* happiness
felicitar congratulate
Félix, María 20th century Mexican movie actress
feliz happy
femenino feminine
fénico carbolic
feo ugly, homely
ficha personal identification papers
fiel faithful
fiesta holiday; festival; party; **días de —** holidays
figuración *f.* figuration, imagination
figurar(se) imagine
fijamente fixedly
fijarse en notice
fin *m.* end; **al —** at last; **al — y al cabo** after all; **en —** in short; anyway
fingir pretend
fino fine; sharp
flamenco Flemish
flaquear weaken; become weak
flema phlegm, apathy; calmness
flota fleet
fomentar foment, encourage
fondo background; bottom; **en el — at heart**
fonógrafo phonograph
forense forensic; lawyer, prosecutor, legal examiner
forma manner, way
foro back
forza *Italian* strength, force
forzar force, break in (*as a door*)
fracaso failure
francamente frankly
francés(a) French

Francia France
frasco bottle
frase *f.* phrase; sentence
frecuencia frequency; **con**
— frequently
frecuente frequent
frente *f.* forehead; **tenía la** — **ba-**
ñada his forehead was bathed;
m. front; **al** — **de** in front of;
— **a** in front of, facing
frío cold; **tener** — be cold
fruta fruit
fuego fire
fuera out, outside
fuerte strong; loud
fuerza force; *pl.* strength
fumar smoke
funcionar work, run, operate
furioso furious

G

gabán *m.* overcoat
gabinete *m.* sitting room
galantear court
gana appetite, craving; **no me**
dio la — **de** I did not want to;
¡**Qué** –**s tenía de . . .**! How I
desired, wished . . . ! **tener** –**s**
de feel like
ganar earn; gain; win
ganzúa skeleton key
García Gutiérrez, Antonio (1812-
1884), Spanish romantic dramatist
García Lorca, Federico (1898-
1936), Spanish poet and dramatist
garganta throat
gasa gauze
gastar waste; use
gente *f.* people

gestionar take steps to attain,
take steps to carry out
gesto gesture
Gil, Rafael 20th century Spanish
movie director
ginebra: — **escocesa** Scottish gin
golpe *m.* blow; stroke; **dar un** —
strike; **de un** — all at once
golpear pound
gordo fat, stout; large, big; boring
gracia grace; wit; **no tendría** —
it would not be funny; –**s** thanks
gran(de) large, big; great
grave grave; serious
gris gray
gritar shout, cry out, scream
grito shout, cry; **dar** –**s** shout
grupo group
guapo good-looking, handsome;
neat
guardar guard; keep; put away
guardia *m.* guard
guerrero warrior, soldier; **Guerre-**
ro name of a Spanish theater
guión *m.* scenario
guionista *m. & f.* scenarist,
writer of scenarios
guisante *m.* pea
gustar please, be pleasing;
le gusta he likes
gustito little taste
gusto pleasure, taste; **mucho** —
glad to meet you

H

haber have; — **de (preparar)**
be to, must (prepare)
habilidad *f.* ability, cleverness
habilidoso skillful, clever
habitación *f.* room
habitar live

hablar speak

hacer make, do, have, cause; hace unos días a few days ago; hace buen tiempo it is good weather; hace mucho tiempo que (está aquí) he has (been here) for a long time; –te cariñines caress you a little; –le cariño caress him; — caso de pay attention to; –le compañía keep you company; –le daño hurt him; — falta be necessary; le hace falta he needs; –me el favor de please; — mal do wrong; — preguntas ask questions; — un viaje take (have) a trip; –se become; –se cargo de understand; –se la ilusión imagine; –se de noche become dark; se te va a — de noche it is going to become dark

hacia toward

hallar find

hambre (el) f. hunger; tener — be hungry

harto satiated; — de fed up with

hasta until; to, up to, as far as; even; — que until

hay there is, there are; — que it is necessary, one must; no — por qué there is no reason; ¿qué — ? what's the matter? ¿Qué — de nuevo? What's new?

hecho n. fact

heredera heiress

herencia inheritance

herir wound; hurt

hervir boil

hígado liver

hija daughter; girl

hijo son; boy

hipocresía hypocrisy

hipócrita hypocrite

histérico hysterical

histerismo hysteria; de — hysterical

historia history; story; pasar a la — go out of style

historieta short story, narrative, anecdote

historietista m. & f. writer of short stories or narratives

hogar m. home

hojear look through

hola hello

holandés(a) Dutch

hombre m. man

hombro shoulder

honrado honest, honorable

hora hour; time

horrorizado horrified

hoy today; — mismo this very day; del día de — of the present day

huella trace

huérfano orphan

huerta (vegetable) garden

hueso bone

huevo egg; –s pasados por agua soft-boiled eggs

huir flee

humano human

humedad f. humidity

húmedo humid, damp, moist, wet

humilde humble

humo smoke; llenármelo de — smoke it up

humor m. humor; tener un — de perros be in a bad humor

humorista m. & f. humorist

hundido depressed; sunk in thought

I

idear devise, plan; conceive the idea of
idioma *m.* language
ignorar not to know
ignoto unknown
igual same, unchangeable; equal-(ly); — a like; — que just as, like; the same as; **a mí me pasa** — it is all the same to me, it makes no difference to me
igualito quite the same
igualmente likewise, also
iluminar illuminate, light
ilusión *f.* illusion, fancy, hope; **hacerse la** — imagine
imaginación *f.* imagination
imaginar imagine
imaginario imaginary
imitar imitate
impacientarse become impatient
impedir prevent
impermeable *m.* raincoat
impertinencia impertinence
importancia importance; **darse** — make oneself important
importante important
importar matter, be important; **¿Qué importa?** What difference does it make?
imposible impossible
imprescindible indispensable; imperative
impresión *f.* impression
impresionar record, impress; affect
impune unpunished
inaudito unheard of, strange; extraordinary
incapaz incapable
inclinarse por be inclined to; be favorably disposed to

incluso including, even
inconveniente inconvenient
incumbir concern
indicar indicate
indignado indignant
individuo individual
indudable unquestionable, no doubt, certain
infanta infanta, daughter of a king of Spain; wife of a royal prince
infeliz unhappy
infinidad *f.* infinity; infinite number
informarse find out
Inglaterra England
inglés(a) English
ingresos *m. pl.* receipts
inmediatamente immediately
inmóvil motionless, immobile
inmutarse lose one's calm, become disturbed
inocente innocent
inofensivo inoffensive
inoportuno inopportune
inquietante anxious, worried
inquietar(se) worry; — **lo más mínimo** worry the least bit
inquieto anxious(ly), worried
inquietud *f.* anxiety
insignificante insignificant
insinuar insinuate
insistir (en) insist (on)
insoportable unbearable
inspirar inspire
instrucción *f.* instruction
instrumental *m.* instrument kit
instrumento instrument
intelectual intellectual
inteligente intelligent
intención *f.* intention, purpose; **con** — intentionally
intentar attempt
interés *m.* interest

interesante interesting
interesar interest
interior inside, interior
interpretar interpret
intérprete *m*. & *f*. interpreter
interrogar interrogate
interrumpir interrupt
intervenir intervene
íntimo intimate
intrigar intrigue
inútil useless
invencible invincible
inventar invent
investigar investigate
invitación *f*. invitation
invitado *n*. guest
invitar invite
involuntariamente involuntarily
ir (a) go, be; — arreglando be arranging; ya voy I'm coming now; –se go away, leave; se me fuese la cabeza my head left me, my head were coming off
irónico ironical
irremisiblemente unpardonably, irremissibly
irritar irritate
Isabel Elizabeth
izquierdo left

J

¡ja! ha!
jamás never, ever
jaqueca headache
jardín *m*. garden
jarrón *m*. vase
jefatura chief (of police) office
jefe *m*. boss, chief, head
joroba hump
jorobado hunchback
joven young
jovenzuelo youngster

Juan John
juego set; game; — completo de ganzúas complete set of skeleton keys
jueves *m*. Thursday
jugar play
juicio judgment
julio July
junto together; — a close to, beside, next to, by
jurar swear; –te que no swear to you no
justamente exactly; justly
justicia justice
juzgado law officer; court of justice
juzgar judge

K

kirsch kirschwasser, liquor made by distilling the fermented juice of the morello cherry.

L

laboratorio laboratory
lado side; al — de beside, with
ladrón *m*. thief
lágrima tear
Laiglesia, Alvaro de 20th century Spanish dramatist
lará lala; tralará — tralala, lala
largo long; a la larga in the long run; in the end; a lo — de along
lástima pity
lata bore, annoyance, nuisance
lateral side, lateral
lector(a) reader
lectura reading
leer read
lejano distant
lejos far; far away

lengua language
lento slow
levantar raise, lift; –se get up, stand up
libertad *f.* freedom, liberty
librar free, deliver
libre free; día — day off
ligero slight; light
Lilián Lillian
limpiar clean, wipe off
limpio clean
lindo pretty
lírico lyrical
Lisboa Lisbon, capital of Portugal
listo: ser — be clever; estar — be ready
literatura literature
lo: — de siempre the same old thing
loco crazy, mad; volverme — drive me crazy; volverse — go crazy
lógico logical
lombarda red cabbage
londinense of London
Londres London, capital of England
López Rubio, José (1903-), Spanish dramatist
loro parrot
luchar struggle, fight
luego then, next; desde — of course
lugar *m.* place; en — de instead of; tener — take place
lunes *m.* Monday
lupa magnifying glass
luz *f.* light; al dar — as the light comes on; al darse — when the light is turned on

LL

llamada call
llamador *m.* knocker
llamar call, name; knock; –se be named, be called
llanto crying, weeping
llave *f.* key; echar la — turn the key, lock
llavín *m.* latchkey
llegada arrival
llegar arrive; reach; — a ser become; — a (torturar) come (to torture)
llenar fill; –melo de humo smoke it up
lleno full
llevar carry on; carry, bring, lead, take; conduct; continue; wear; have; — puesto have on; –se carry off, take off, take away; be produced
llorar cry, weep
llover rain

M

Madrid Madrid, capital of Spain
maestro master; teacher
magnífico splendid; magnificent
mal badly, poorly, ill; hacer — do wrong; quedar — acquit oneself badly
mal(o) bad; ill
maldecir curse
maldito cursed, damned
maleante *m.* rogue, villain
maleta suitcase
maletín *m.* satchel, small bag
mancebo youth, young man, clerk; — de botica drugstore clerk

mandar   order, send

manera   manner, way; de — que
so that

manga   sleeve

manía   mania, madness; te tienen
un poco de — they are a little
angry with you

maniático   mad, characterized by
madness, crazy

manipular   manipulate, handle

mano *f.*   hand; dar la — shake
hands

mantener   maintain

mañana   tomorrow; morning

maquillaje *m.*   make-up

maravilloso   marvelous

marcar   mark

marco   frame

marcha   progress; poner en —
start; en — prosperous

marcharse   go away, leave

mareo   dizziness (literally seasick-
ness)

María   Mary

maridito   little husband

marido   husband

marina   marine; — de guerra
navy

Marshall, General George (1880-
1959), American originator of
European recovery plan

martillazo   hammer blow

marzo   March

más   longer; more; most; — bien
rather; — de la cuenta more
than necessary, too much; —
vale it is better; lo — mínimo
the least bit; nada — just,
scarcely; no . . . — not again

matar   kill

matiz *m.*   shade, tint, hue

matrimonio   marriage

mayo   May

mayor   greater; greatest

medicamento   medicine

medicina   medicine

médico   doctor, physician

medida   measure; standard

medio   half, a half; partial; *n.* way,
means; quitarla de en — get it
out of the way

Méjico   Mexico

mejor   better; best; a lo — all of
a sudden; perhaps

melancólico   melancholy, sad,
gloomy

melocotón *m.*   peach

memoria   memory; recollection

mencionar   mention

menor   lesser; least

menos   less; least; except; a —
que unless; al — at least; ni
mucho — nor anything like it

mentir   lie

mentira   lie; parece — it's hard
to believe

merecer   deserve

mes *m.*   month

mesa   table; desk

mesita   small table

meter   put; -se meddle; -se en
get into; go into; put oneself
inside

meticuloso   meticulous, careful
of small details

miedo   fear; dar — frighten;
tener — be afraid

mientras (que)   while, mean-
(while) — tanto meanwhile, in
the meantime

miércoles *m.*   Wednesday

Mihura Santos, Miguel (1905-   ),
Spanish dramatist

mil   (a, one) thousand

mínimo minimum; lo más — the least bit

minúsculo small

minuto minute

mirada glance, look

mirar look, look at; see; consider

mise en scène *French* arrangement of scenery and actors in a scene

misis Mrs., missis

mismo self, same, very; ahora — right now; aquí — right here; me da lo — it is all the same to me; el — ... que the same ... as; lo — the same thing, the same way

misterio mystery

misterioso mysterious

mitad *f.* half

modesto modest

modo way, manner; de este — in this way; de ningún — by no means, in no way; de todos —s at any rate

molestar bother, annoy; trouble, disturb

molesto bothersome, annoying; disturbed; troubled

Molière (Jean Baptiste Poquelin) (1622-1673), French dramatist

momento moment; de — momentarily

monísimo very nice, very pretty

monstruosidad *f.* monstrosity

montaje *m.* setting up; assembling

morir(se) die

motivo motive, reason, cause; con — de because of

mover(se) move

Mozart, Wolfgang Amadeus (1756-1791), Austrian composer

muchacho boy, lad

mucho much, very, a great deal, a lot, long; — tiempo a long while; ni — menos nor anything like it

mudar (de) change

mueble movable; *m.* piece of furniture; *pl.* furniture

mueblecito little piece of furniture

muerte *f.* death

muerto dead

muestra sign; dar —s show signs

mujer *f.* woman; wife

mujercita little woman; little wife

mundo world; todo el — everybody

música music

mutis *m.* (theater) exit; hacer — make one's exit

muy very

N

nacer be born

nacional national

nada nothing, not ... anything; not at all; — de eso not at all; — de particular nothing in particular, nothing special; — más just, scarcely; de — you are welcome, don't mention it

nadie nobody, no one, not ... anyone

nariz *f.* nose; propias narices own eyes (literally own nose)

necesario necessary

necesidad *f.* necessity, need

necesitar need

necio silly, stupid

negar deny; —se (a) refuse

negocio business

nervio nerve; **de –s** nervous

nervioso nervous

Neville, Edgar (1889-   ), Spanish dramatist, lawyer, diplomat

ni nor, not . . . or; — . . . — neither . . . nor; — **siquiera** not even

nidito little nest

niebla fog, mist

ningún(o) no, not . . . any, no one, none; **de — modo** by no means, in no way; **no . . . por –a parte** not anywhere

niño little boy; child

no no; not — . . . **más** not . . . again

noche *f.* night, evening; **de —** at night; **se te va a hacer de —** it is going to become dark; **esta —** tonight

nochecita twilight; dusk; little night

normalidad *f.* normality

nota note

notar notice, note; **te noto** I notice you are

noticia piece of news

novecientos nine hundred

novedad *f.* trouble

noventa ninety

noviazgo engagement

noviembre *m.* November

novio sweetheart; boy friend; fiancé; lover; *pl.* bride and groom; sweethearts

nuevamente again

nuevo new; **de —** again; **¿Qué hay de —?** What's new?

número number

nunca never, not . . . ever

O

o or

obligación *f.* obligation

obra work

observar observe

obsesionar obsess

ocasión *f.* occasion

ocasionar cause

occidente occident, west

ocultar hide

ocupar occupy; **–se de** attend to, occupy oneself with, pay attention to

ocurrir occur, happen; **no se le ocurre** he does not think of

odiar hate

ofender offend

oficina office

oficio trade

ofrecer offer

oído (inner) ear

oír hear

ojalá would that

ojo eye

olor *m.* smell; **— a** smell of

olividar(se) forget

olla pot, kettle

operario workman

opinar think, be of the opinion

oponer oppose

oposición *f.* opposition

opuesto opposite

orden *m. & f.* order; **por —** in order; **a sus –es** at your service

ordenar order, command

oscurecer grow dark

oscuro dark(ness); **a –as** in the dark; **hay un —** the lights are dimmed

otro other, another; **otra cosa** anything else, something else;

otra vez again; –s cuantos a few others

P

pachucho weak (*color*); pale
padecer suffer
padre father; *pl.* parents
padrino godfather
pagar pay, pay for
página page
país *m.* country, nation
Países Bajos Low Countries, Netherlands
palabra word
pálido pale
pan *m.* bread; con su — se lo coman what's the difference (*literally* may they eat it up with their bread)
pañito little cloth, doily
papel *m.* part, role; paper, sheet (of paper)
papelito small paper, bit of paper
par *m.* pair, couple; un — de castañuelas very gay
para for, to, in order to, intended for; — que in order that; ¿ — qué? what for? why?; — allá over there
parecer seem, appear; seem best; parece mentira it's hard to believe; al — apparently; ¿Qué te parece . . . ? What do you think of . . . ?
pared *f.* wall
paréntesis *m.* parenthesis
párrafo paragraph
parte *f.* part; no . . . por ninguna — not anywhere; por otra — on the other hand, besides
particular particular, special;

nada de — nothing in particular, nothing special
pasado past
pasar pass by; pass; take place, happen; spend; come in; — a la historia go out of style; huevos pasados por agua soft-boiled eggs; le pasará it will pass away from you; a mí me pasa igual it is all the same to me, it makes no difference to me; se te pasará it will turn out (well) for you; ¿Qué te pasa? What is the matter with you?
pasear(se) take a walk *or* ride
paseo walk, stroll; de — walking, for a walk
paso: de — in passing
pastilla tablet
pastillita little tablet
patético pathetic
patio (inner) courtyard, patio
paz *f.* peace
pecador(a) sinner
pedacito little piece, little bit
pedir ask, ask for
pelar peel
película film
peligro danger
peligroso dangerous
peluca wig
pena pain; dar — pain
pendiente pending; — de dependent on
penetrar penetrate
penique *m.* penny
pensamiento thought
pensar think, intend;— de think of (opinion); — en think of
pensativo thoughtful, pensive
peor worse; worst
pequeño little; small

percance *m.* misfortune
perder lose; waste
perdón *m.* pardon; forgiveness
perdonar pardon; forgive
pereza laziness; me da tanta —
it makes me so lazy about
perezoso lazy
perfecto perfect
periódico newspaper
periodismo journalism
periodista *m.* journalist
perjuicio prejudice
permanencia stay, duration, run
permiso permission
pero but
perro dog; tener un humor de
–s be in a bad humor
persona person
personaje *m.* character
persuadir persuade
pertenecer belong
pesado tiresome; heavy
pesadumbre *f.* grief; sorrow
pesar weigh; *n. m.* grief, trouble;
a — de in spite of
pescante *m.* coach box
pescar find, pick up
peso weight
pestillo latch
petaca cigar case
petulancia petulance
pianista *m. & f.* pianist
pie *m.* foot; en — standing, up
and about
pierna leg
pieza piece
píldora pill
pintar paint
pisada footstep
pisar set foot in
piso floor
pista clue

pistola pistol
pitillera cigarette case
pitillo cigarette
placer *m.* pleasure
planta floor
plata silver
plátano banana
plato plate; dish
plomo lead (metal)
pobre poor
pobrecillo poor little (one)
pobrecito poor little (one)
poco little, few; short; — a —
little by little; — tiempo short
while, little while; al — tiempo
in a short while; por — almost,
nearly
poder *n. m.* power; be able, can;
may; ¿se puede (entrar)? may I
(come in)?
policía *m.* policeman; *f.* police
polvo dust
poner put, place; — al corriente
inform; — en marcha start; está
puesto is set, placed (in the
lock); llevar puesto have on; –se
become, get; put on; –se a
start, begin; –se en claro be
made clear
poquito very little; a little bit;
very few
por through, by; along; for, for
the sake of; because of; in
favor of; in exchange for; in;
about; per; — ahí over there; —
ciento per cent; — ejemplo for
example, for instance; — eso
that's why; therefore; — favor
please; — (lo) tanto therefore;
— mucho (cuidado) que (se
tenga) no matter how (careful
one is); — otra parte on the

other hand, besides; — **poco**
almost, nearly; — **si (acaso)** if
(by chance); in case
¿por qué? why? **no hay** — there
is no reason to
porcelana porcelain; chinaware
porque because; for
porquería worthless thing, trifle;
nasty trick; **valiente** — mere
trifle
portarse behave
portugués(a) Portuguese
poseer possess, own
posible possible
posición *f.* position
posterior posterior, later
postre *m.* dessert
Praga Prague, capital of Czecho-
slovakia
precioso precious
precisamente precisely, exactly
predilecto favorite
preferir prefer
pregunta question; **hacer –s** ask
questions
preguntar ask (*question*); — **por**
ask for, about, inquire about
premio prize; reward
preocupación *f.* preoccupation,
worry
preocupar preoccupy; **–se (por)**
worry (about)
preparar prepare
presencia face; presence
presenciar witness
presentar present; introduce
presente present
presidio penitentiary
prestar lend; — **atención** pay attention; — **declaración** offer a
statement
pretender pretend; seek; aspire to

pretexto pretext
prevenir warn
prever foresee
primer(o) first; **en** — **término** in
the foreground
primoroso neat; fine
principal main, principal
principio beginning; **al** — at first
prisa haste; **darse** — hurry, make
haste; **de** — fast; **tener** — be in
a hurry
privado private
probar taste
procurar try
producir produce
productor(a) producing;
n. producer
profesión *f.* profession
profesor(a) professional,
professor
profundo profound; deep
prohibir prohibit, forbid
prólogo prologue
promesa promise
prometer promise
prometido fiancé
pronto soon; **de** — all of a sudden, suddenly
pronunciación *f.* pronunciation
pronunciar pronounce
propiedad *f.* property
propietario proprietor, owner
propio self; own; proper; same
proponer propose, suggest
propósito: a — by the way
proximidad *f.* proximity,
nearness
próximo near, nearest
prueba proof
publicación *f.* publication
publicar publish
publicidad *f.* publicity

público public
puerta door
Puerto: — de Santa María town
on bay of Cádiz, Spain
pues since; for; then; well; —
bien well then, very well
puesto *n.* position; place; post;
— que since, although
punto point; a — de on the
point of; de todo — absolutely;
entirely, in every way; en — exactly; sharp
puntual prompt, punctual
puré *m.*: — de guisantes thick pea
soup

Q

que than; that, who, whom,
which; for; a — I bet; el — the
one that, who, which; lo —
that which, what; creo — no I
think not; el mismo . . . — the
same . . . as; puede ser — sí it
can be so; ¡qué! what a! how!
¿qué? what? ¿ — hay? What's
the matter? ¿ — tal estás? hello;
how do you do? how are you?
¿ — tiene usted? What is the
matter with you? ¿a — ? why?
¿ a — viene eso de? what has
that to do with? what's all that
about? ¿a santo de — ? why?
quedar(se) stay, remain, be; be
left; — bien (mal) acquit oneself well (badly); — en agree
quejarse complain
quemadura burn
quemar burn
querer want, wish; like, care for,
love; be willing; — decir mean;
quise I tried; no quise I refused

querido dear
quien who, whom; he who
¿quién? who? whom? ¿de — ?
whose?
quienquiera whoever
quieto quiet
quinqué *m.* student lamp
quitar(se) remove, take away,
take off; —le las ganas take his
appetite from him; —la de en
medio get it out of the way
quizá(s) perhaps

R

rabia rage; dar — make furious
rabiar rage; a — madly
rabioso raging
racha streak of luck
rápido rapid
raro strange; curious; rare; choice;
rara vez seldom
raso satin
ratito little while, short time
rato while, (short) time
razón *f.* reason; tener — be right
realidad *f.* reality; truth
realizar realize, carry out, perform, accomplish
realmente really
recaudación *f.* box office,
collection
receloso suspicious, distrustful
recibir receive
recién(te) recent; — casado
newly wed
reclamar claim, demand
recoger pick up
recomendación *f.* recommenda-
tion
recordar remember; recall
recorrer look over, survey

recuerdo memory, remembrance
redomado artful, sly, cunning
redondito little round (piece)
referente referring
referir(se) (a) refer (to)
reformar reform; amend, improve;
reconstruct; reorganize
regalar give
regañar scold
registrar search
regresar return
regular regular, fair, average
rehacerse rally
Reino Unido, El United Kingdom
reír laugh; –se de laugh at
reja grating; railing
relación *f.* relation
relativo relative
relato account
reloj *m.* clock; watch
relojería clockmaking
relucir light again; sacar a —
bring to light again
remedio remedy; no había más
— there was nothing else to do;
no tener — cannot be helped
remordimientos *pl.* remorse
Renard Renard (*French* for fox);
proper name
rencor *m.* rancor, grudge; tenerte
— have a grudge against you
reparto cast of characters
repasar glance over, reexamine
repente: de — all of a sudden,
suddenly
repetir repeat; recur
reponerse recover
repostería fancy dessert; pantry
representar represent; perform,
act
reproche *m.* reproach
rescatar recover

resentirse be impaired, be weakened
reseña brief description, review
resistir(se) resist, hold out
(against)
respirar breathe
responder answer, reply
responsable (de) responsible (for)
restablecerse recover
restaurante *m.* restaurant
resto rest; remainder
resultado result
resultar turn out to be, prove to
be; be
resumen *m.* summary; en — in
short, in brief
resumir sum up, repeat; en resumidas cuentas in short
retirar(se) withdraw
retraso delay
retrato portrait, picture
retroceder go back, move backward, draw back
reunirse (con) meet
revisar examine
revista magazine, review, journal
rico rich, fine
ridículo ridiculous
risa laugh
ritmo rhythm
Rivas, Duque de (1791-1865),
Spanish romantic dramatist
robar steal, rob
robo theft
rodar roll; film
rodear surround
rogar ask, request
Roma Rome, capital of Italy
romper break
ropa clothes, (bed) clothes
rosbif *m.* roast beef
rotundo: en — absolutely

rozar rub
ruido noise; sound
Ruiz de Alarcón, Juan (1580?-1639), Golden Age dramatist, born in Mexico
Ruiz Iriarte, Víctor (1912-), Spanish dramatist
ruptura rupture

S

sábado Saturday
saber know; know how, learn, find out; — a taste of
sabiduría wisdom
sabor (m.) a taste of
sabroso tasty
sacar take out; get; — a relucir bring to light again; — con get out of
sagaz sagacious, keen-witted
sala living room
salida exit; camino de — way out
salir leave, go out, come out; get out; ¡con lo bien que te salen a ti! how successful yours are!; –se con la suya have one's own way
salón m. large hall, parlor
saloncito small salon or hall
saltar leap, jump
salud f. health
saludar greet
salvar save
San Juan de Luz St. Jean de Luz, town in France
sano healthy, sound; sane
santo saint; ¿a — de qué? why?
sargento sergeant
satírico satirical

scène: mise en — French arrangement of scenery and actors in a scene
seco dead; dried up; dry; thin
secrétaire m. French writing desk
secreto secret; secrecy
sed f. thirst; tener — be thirsty
seda silk
seguida: en — at once, immediately
seguidita: en — in an instant
seguido successive, continued, in succession
seguir follow; be; continue; go on, keep on; — de follow by; ¿Cómo sigue usted? How are you (getting along)?
según as; according to what, according to
segundo second
seguridad f. assurance
seguro sure, certain
seis six
semejante such a; similar
sencillo simple
sentar seat; nos sentará it will agree with us; –se sit down
sentido n. sense; meaning
sentimiento sentiment; feeling; regret
sentir feel; regret, be sorry; — deseos de desire; –se feel
señal f. sign, mark
señalar point to, point out; mark
señor Mr.; gentleman; sir
señora Mrs.; lady; wife; madame
señorita young lady; Miss
separar separate
ser be; es de esperar it is to be expected; — listo be clever; es que the fact is that; a no — que unless; al no — because of not

being; de no — ellos if it were
not they; llegar a — become
sereno serene, calm; serenely
seriedad *f.* seriousness
serio serious; en — seriously
serpentina serpentine
servicio service; help; duty; de —
on duty; servants
servidor(a) servant
servir serve
severo severe, stern
Shaw, George Bernard (1856-
1950), Irish dramatist
si if; whether; why! por —
(acaso) if (by chance); in case;
— no in case, otherwise
sí yes; indeed; — que certainly,
truly
siempre always; lo de — the
same old thing; — que when-
ever
sien *f.* temple
siesta afternoon nap, siesta
siete seven
sigilosamente silently; secretly
significar mean, signify
siguiente following, next; al día
— the next day
silbar whistle
silbato whistle
silencio silence
silla chair
simpatía sympathy
simpático sympathetic, nice
simpatizar be congenial
simple simple; silly; half-witted
simplificar simplify
sin without; — embargo nevertheless, still, however; — que
without
sinceridad *f.* sincerity
sincero sincere

sino but; — que but; *n.* fate,
destiny
síntoma *m.* symptom
siquiera even; ni — not even
sistema *m.* system
sitio place
sobra: de — more than enough
sobre on, upon; about; over; —
todo especially, above all
sobretodo overcoat
sobrina niece
solas: a — alone
soldado soldier
soledad *f.* solitude
soler be accustomed
solicitar solicit; entreat
solitario solitary; isolated
solo alone, single; sólo only; tan
— merely
soltero bachelor
solución *f.* solution
sollozar sob
sombrero hat; — de copa silk or
high hat
sombrío somber, gloomy
sonar sound
sonido sound
sonreír smile
sonrisa smile
soportar endure, bear
sorprender surprise
sorpresa surprise
sospecha suspicion
sospechar (de) suspect
sospechoso suspicious
sostener maintain
subir go up, come up; rise;
bring up
subrayar underline
subyugador(a) subjugating
suceder happen
sucursal *f.* branch

sudor *m.* sweat
sueldo salary
suelo floor
sueño sleep; dream; tener — be sleepy
suerte *f.* luck; fortune; tener — be lucky
sufrimiento suffering
sufrir suffer, endure
sugerir suggest
suicidarse commit suicide
suicidio suicide
suplicante begging
suplicar beg, ask, request
suponer suppose; por supuesto of course
suposición *f.* supposition
suprimir suppress; cut out; omit
suspiro sigh
susto fright; dar un — frighten
suya: salirse con la — have one's own way

T

tajante cutting
tal such, such a; ¿Qué — estás? hello; how do you do? how are you?
talento talent
también also, too
tampoco not ... either, nor ... either, neither
tan so, as; ¡Qué desgracia — grande! What a big misfortune!
— sólo merely
Tánger Tangier, city and port of Morocco
tanto so much, so, as much; very great; tanto ... como both ... and; al — de familiar with;

mientras — meanwhile, in the meantime; por (lo) — therefore
tapa cover, lid
taquigráficamente in shorthand
tardar en delay, be long in
tarde late; *f.* afternoon
taza cup
té *m.* tea
teatral theatrical
teatro theater, stage
tecla key (*piano*)
tedio boredom
telón *m.* curtain (*theater*)
tema *m.* theme, subject
temblar tremble
temblor *m.* trembling
tembloroso tremulous, trembling
temer fear
temor *m.* fear
temperatura temperature
temporada season, spell
tenedor *m.* fork
tener have, possess; hold; — la bondad de please; no tiene usted muy buena cara you do not look very well; –la cariño to be fond of it; — en cuenta keep, bear in mind; — buen cuidado be very careful; — la culpa be to blame; — conmigo una explicación explain yourself to me; tenía la frente bañada his forehead was bathed; — frío be cold; — ganas de feel like, desire, wish; no tendría gracia it would not be funny; — hambre be hungry; — un humor de perros be in a bad humor; — lugar take place; — miedo be afraid; te tienen un poco de manía they are a little angry with you; — por consider; —

prisa be in a hurry; — que
(bajar) have to (come down);
no — que ver con have nothing
to do with; — razón be right; no
—remedio; cannot be helped;
–te rencor have a grudge against
you; — sed; be thirsty; — sueño
be sleepy; — suerte be lucky;
¿Qué tiene? What is the matter
with him?

teoría theory
tercer(o) third
terminar end, finish
término end; en primer — in the
foreground; segundo — mid-
stage
terrible terrible, terribly
testigo witness
tetera teapot
tiempo time; weather; al poco —
in a short while; mucho — a
long while; poco — a short
while; ¿Cuánto — hace que
vinieron? How long ago did
they come?
tierra earth, land; echar por —
tear down, demolish
tila linden-flower tea
tímidamente timidly
tinta ink
tintero inkwell
tío fellow; uncle
típicamente typically
tirar throw
tiro shot; dispararse un — shoot
oneself
Tirso de Molina (Gabriel Téllez)
(1583?-1648), Spanish Golden
Age dramatist
tisana tisane, medical tea
titular entitle, name
título title

tocar play; touch
todavía still, yet
todo all, every; everything; —
cuanto all that; — el mundo
everybody; sobre — especially;
a — el que to whomever; de —
punto absolutely, entirely, in
every way; de –s modos at any
rate; del — wholly; –s everyone;
–s los días every day
tolerar tolerate, permit
tomar take; drink; have
tónico tonic
tono tone
Tono (Antonio de Lara) 20th
century Spanish dramatist
tontería foolishness
tonto foolish, silly, stupid
tópico topic
torero bullfighter
tormenta storm
torturar torture
trabajar work
trabajo work
traducir translate
traer bring; have; bring about;
cause; — consigo have; bring
with it, cause; carry out
trágico tragic
trago drink; swallow
traicionar betray
tralará, lará tralala, lala
tramo: — de escalera flight of
stairs
trampa trick
tranquilizar calm
tranquilo tranquil, calm, quiet
transcurrir take place
transcurso course (of time)
tranvía *m.* streetcar
tras behind
trasladar move

traslado transfer
tratar be intimate with; treat, deal; — de try; –se de be a question of
trazar devise
treinta thirty
treinta y cinco thirty-five
treinta y uno thirty-one
tren *m.* train
trepar climb
tres three
triste sad
tristeza sadness, sorrow; dar — sadden
tristoncete rather sad, melancholy
triunfal triumphal
trovador(a) troubadour, minstrel
Trovatore, Il *Italian* "The Troubadour"
tubería tubing; piping, pipe line
tupido thick
turbio confused, troubled

U

últimamente lately
último last, latest
único only, sole, unique
uniforme *m.* uniform
unir unite; Reino Unido, El United Kingdom
un(o) a, an; one; *pl.* some; –s cuantos a few
urgente urgent
usar use
utilidad *f.* usefulness
utilísimo very useful
utilizar utilize

V

vacaciones *f. pl.* vacation

vacío empty
valer be worth; más vale it is better
valiente great, excellent; — porquería mere trifle
valioso valuable
vals *m.* waltz
¡vamos! come on! let's go!; — a (ver) let's (see)
vanguardia vanguard
varios *pl.* several, various
vasito little glass
¡vaya! well now!
vecino neighbor
Vega Carpio, Lope Félix de (1562-1635), Spanish Golden Age dramatist
veinte twenty
veinticuatro twenty-four
veintisiete twenty-seven
veintitrés twenty-three
veintiuno twenty-one
vender sell
veneno poison
venganza vengeance
vengar avenge; –se get revenge
venir come; be; — a caer be located; — a cuento be to the point, be pertinent; ¿a qué viene eso de? what has that to do with? what's all that about?
venta sale
ventana window
ver see; no tener que — con have nothing to do with; (vamos) a — let's see; –se be
verano summer
verdad *f.* truth; de — in truth; es — it is true
verdadero true, real
verde green

Verdi, Giuseppe (1813-1901), Italian composer of operas
verdugo executioner
vestido dress
vestir dress
vez *f.* time, turn; ¿alguna —? ever? cada — más (terrible) more and more (terrible); de — en cuando from time to time; de una — once and for all; dos veces twice, two times; otra — again; rara — seldom; una — once
viaje *m.* trip; hacer un — take (have) a trip
víctima victim
vida life; living
viejecito little old man
viejo old
Viena Vienna, capital of Austria
vigilar watch (over), keep guard, look out (for)
violeta violet
visillo curtain
visita visit; visitor
visitar visit
vista sight; view
vistazo: dar un — glance at, look over
viuda widow

viudez *f.* widowhood
viudo widower
vivienda dwelling, house
vivir live
vivo alive
volver turn; return; turn up; come back on; — a (gritar) (shout) again; —me loco drive me crazy; —se loco go crazy; — de espaldas turn one's back
voz *f.* voice; en — alta in a loud voice, aloud
vuelta *n.* turn; return; dar una — take a walk; dar —s turn; return; walk to and fro; whirl

Y

y and
ya now; already; later, presently; — que now that; since; — no no longer

Z

Zorrilla, José (1817-1893), Spanish romantic dramatist
zumbido humming, buzzing; ringing